uso

interactivo
del vocabulario

- Más de 2.000 palabras básicas del español con variantes mexicanas y argentinas.
  - Ejercicios prácticos.

Ángeles Encinar
(St. Louis University,
Madrid Campus)

edelsa

GRUPO DIDASCALIA, S.A.
Plaza Ciudad de Salta, 3 - 28043 MADRID - (ESPAÑA)
TEL.: (34) 914.165.511 - FAX: (34) 914.165.411

Primera edición: 2000.

© Ángeles Encinar Félix
© de las variantes argentinas: María Amelia Hernández y Elena Pérez.
© de las variantes mexicanas: Rosa Esther Delgadillo.
© Edelsa Grupo Didascalia, S.A.

Dirección y coordinación editorial: Departamento de Edición de Edelsa.
Diseño de cubierta e interiores: Departamento de Imagen de Edelsa.

Impresión: Pimakius, S.A.
Fotomecánica: FCM.

ISBN: 84-7711-550-8.
Depósito legal: M-2023-2001
Impreso en España
Printed in Spain.

Fuentes, créditos y agradecimientos

Documentos:
- Banco Pastor -Oficina Directa: pág. 138.
- Caja Madrid: pág. 138.
- Catálogo de IKEA: pág. 58.
- *El País*: págs. 13 (*El País Semanal*, 10 de enero de 1999), 43 y 49 (12 de mayo de 2000), 65 (*Babelia*, 18 de marzo de 2000), 103 (24 de enero de 1999), 131 (14 de febrero de 1999), 151 (14 de febrero de 1999 y 8 de abril de 2000).
- Hotel y Residencia Papa Luna: pág. 124.
- Hyundai España: pág. 73.
- *Madrid/Arquitectura* (Dirección General de Turismo, Comunidad de Madrid): pág. 95.
- Página de Internet de la revista *Venca* (www.venca.es): pág. 42.
- Página de Internet de www.faunaiberica.org: pág. 110.
- Página de Internet de www.tourspain.es: págs. 88 y 144.
- Saint Louis University: pág. 160.
- Turgalicia, folleto *Las rías y sus puertos* (autores: Xosé Ramón Barreiro Fernández, Augusto Pérez Alberti y Jaime Arriandiaga Guerricaechevarría): pág. 124.
- Volkswagen: pág. 73.

Fotografías:
- Brotons: págs. 26, 95.
- Laura Madera: pág. 6.
- Página de Internet de la revista *Marca* (www.marca.es): pág. 96.
- Rafael García: pág. 119.
- Revista *¡Hola!*: págs. 27 y 33 (16 de octubre de 1997).
- Seridec: págs.: 14, 34, 50, 59, 74, 82, 111, 132.

Ilustraciones:
- Victoria Gutiérrez: pág. 13.
- www.gograph.es: pág. 103.

Notas:
- La editorial Edelsa ha solicitado los permisos de reproducción correspondientes y da las gracias a quienes han prestado su colaboración.
- Las imágenes y documentos no consignados más arriba pertenecen al Archivo y al Departamento de Imagen de Edelsa.

presentación

Este libro es fruto de una nueva edición revisada y ampliada de *Palabras, Palabras*, obra cuyo objetivo práctico parece haberse cumplido a lo largo de una década. Los cambios son notables, no sólo desde el punto de vista de la forma, sino del contenido. Afectan sobre todo a la sección de léxico, a los ejercicios (modificados en ocasiones), a un diferente tratamiento del "Expresionario" y a una nueva sección incorporada al final de cada capítulo.

La gran novedad de la sección de **Léxico** es la incorporación de variantes hispanoamericanas. Teniendo en cuenta la diversidad de la lengua española en el mundo, se han incorporado muestras de léxico diferenciador de otros países hispanos, en concreto de Argentina y México, por ser representantes de dos grandes zonas hispanas. Para las variantes argentinas hemos contado con la colaboración de la profesora Elena del Carmen Pérez y de la licenciada María Amelia Hernández (Universidad Nacional de Córdoba, Argentina); para las variantes mexicanas, con la profesora Rosa Esther Delgadillo (Universidad Nacional Autónoma de México).

El libro está dirigido a los estudiantes extranjeros de la lengua española que ya tienen una base gramatical y desean practicar conversación para alcanzar mayor fluidez. Corresponde a un nivel intermedio, sin embargo su contenido no excluye, en absoluto, a aquellos estudiantes que se aproximen a dicho nivel, ni a los que lo superen, ya que la diferente tipología de actividades permite también un diferente acercamiento. En cualquier caso, el buen juicio del profesor o del alumno le indicará aquellos aspectos donde debe poner mayor énfasis.

Consta de veinte capítulos estructurados en función de áreas temáticas. Todos los capítulos se componen de un amplio vocabulario, una serie de ejercicios orientados a la práctica y el incremento de dicho vocabulario, expresiones frecuentes, un tema de conversación, situaciones posibles y, finalmente, una opción de comprobar el material aprendido.

¿Cómo se dice en tu lengua?

El vocabulario que encabeza cada capítulo tiene una importancia relevante. En primer lugar, proporciona al estudiante el léxico imprescindible para poder entablar una comunicación relacionada con el área temática en cuestión. La carencia, a priori, de toda traducción, inducirá a una mejor memorización oral y escrita del nuevo vocablo y, al mismo tiempo, favorecerá la creación de un automatismo en el aprendizaje del idioma. Sin embargo, se le ofrece al estudiante la posibilidad de que anote el equivalente de las palabras en su propio idioma, a modo de diccionario básico.

La presencia de vocablos con variantes argentinas (Arg.) y mexicanas (Méx.) se ha resaltado en recuadros para facilitar su reconocimiento. Nos hemos apoyado en el uso de notas a pie de página para aclaraciones de tipo ortográfico, y para indicar diferentes acepciones de una misma palabra.

Ejercicios

La serie de ejercicios que sigue a cada vocabulario exige, en un principio, el reconocimiento de los vocablos presentados y conlleva, asimismo, el aprendizaje de otros nuevos, además de proporcionar orientación en la precisión de su uso. La inclusión de un ejercicio de verbos es constante en todos los capítulos, ya que resulta imprescindible para un total conocimiento del tema. La realización de ejercicios variados de sinónimos, antónimos y derivados tiene por objeto un enriquecimiento léxico y la posibilidad de obtener mayor seguridad en la formación de palabras. Todo ello capacitará gradualmente al alumno para poder expresar sus ideas y llegar a argumentarlas.

"Expresionario"

Hemos llamado (poco ortodoxamente quizás) así a un apartado en el que mediante diferentes formas de presentación se introduce e incrementa el conocimiento de modismos, refranes y frases hechas de uso frecuente entre los hablante nativos.

¡Vamos a hablar! y Situaciones

Ambas secciones proponen la práctica directa de conversación y sirven de punto de partida para alcanzar fluidez en la destreza oral. Dejan la puerta abierta a ulteriores posibilidades entre uno o varios interlocutores.

Comprueba lo que sabes

Es una propuesta de inmersión en el contexto temático de cada una de las áreas estudiadas. A través de documentos auténticos (fragmentos de periódicos, revistas, folletos informativos, páginas de Internet...) se conecta con situaciones reales de uso del léxico, así como con aspectos culturales.
Hemos utilizado Internet como un recurso más en el aula para ofrecer la oportunidad de una mayor interacción por parte del alumno.

Claves

Al final del presente volumen se encuentran soluciones a algunos de los ejercicios, en concreto a la mayoría de los que sólo tienen una respuesta posible.

Agradezco profundamente a las profesoras mexicana y argentinas su valiosa aportación; a mis colegas de la universidad sus interesantes y siempre oportunos comentarios, y a Pilar Jiménez y María Gil su continuo apoyo y sugerencias editoriales.

índice

capítulo 1

El cuerpo humano

léxico ¿Cómo se dice en tu lengua?

SUSTANTIVOS

arterias (las)

articulaciones (las)

axilas (las)

barba (la)

barbilla (la)
Arg. **mentón (el)**

bigote (el)

boca (la)

brazo (el)

cabeza (la)

cadera (la)

cara (la)

cejas (las)

cerebro (el)

cintura (la)

codos (los)

columna vertebral (la)

corazón (el)

costillas (las)

cuello (el)

dedo (el)

dientes (los)

encías (las)

espalda (la)

estómago (el)

frente (la)

garganta (la)

hígado (el)

hombro (el) ....

huesos (los) ....

intestinos (los) ....

labios (los) ....

lengua (la) ....

mandíbula (la) ....

mano (la) ....

mejillas (las) ....

muelas (las) ....

muñeca (la) ....

músculos (los) ....

muslo (el) ....

nalgas (las) ....

nariz (la) ....

nervio (el) ....

nuca (la) ....

ojos (los) ....

ombligo (el) ....

orejas (las) ....

órganos genitales (los) ....

paladar (el) ....

párpados (los) ....

pecho (el) ....

pelo (el) ....

pestañas (las) ....

piel (la) ....

pierna (la) ....

pies (los) ....

pulmones (los) ....

pupilas (las) ....

riñones (los) ....

rodilla (la) ....

sangre (la) ....

sienes (las) ....

tendones (los) ....

tobillo (el) ....

tripa (la) ....
Arg. **panza, barriga (la)**

uñas (las) ....

venas (las) ....

vértebras (las) ....

vientre (el) ....

ADJETIVOS

aguileño/a ....

alto/a ....

amable ....

anterior ....

bajo/a ....

castaño/a ....

chato/a ....
Arg. *ñato/a*

corporal ....

débil ....

delgado/a ....

demacrado/a ....

derecho/a ....

desagradable ....

diestro/a ....

encantador/-a ....

esbelto/a ....

feo/a ....

flaco/a ....

fuerte ....

gordo/a ....

guapo/a ....
Arg. *lindo/a,*
buen/-a mozo/a

7

inferior ....

izquierdo/a ....

liso/a ....

moreno/a
 **Arg. moreno/a, morocho/a** ....

musculoso/a ....

obeso/a ....

pálido/a ....

pelirrojo/a ....

posterior ....

respingón/respingona
Arg. respingada ....

rizado/a
Arg. enrulado/a, ondulado/a ....

robusto/a ....

rubio/a ....

superior ....

zurdo/a ....

VERBOS

abrazar ....

abrir ....

adelgazar ....

agarrar ....

andar ....

arrodillarse ....

avanzar ....

bajar ....

besar ....

callar ....

cerrar ....

chupar ....

comer ....

correr ....

detenerse ....

digerir ....

doblar ....

engordar ....

estirar ....

extender ....

flexionar ....

fruncir ....

girar ....

guiñar ....

hablar ....

levantarse ....

masticar ....

morder ....

oír ....

oler ....

palpitar ....

pararse ....

parpadear ....

ponerse de pie ....

respirar ....

retroceder ....

saborear ....

saltar ....

sentarse ....

sentir ....

subir ....

tocar ....

tragar ....

ver ....

ejercicios

a

a. Aprendemos que el cuerpo se divide en cabeza, tronco y extremidades. Agrupa las palabras del vocabulario según la parte del cuerpo en que se encuadran y señala a cuál corresponden.

....

....

....

....

....

b. Selecciona del vocabulario tres adjetivos que califiquen a la nariz, tres al carácter y otros tres al pelo.

....

....

....

c. ¿Qué partes del cuerpo están directamente relacionadas con estos verbos?

extender, flexionar, palpitar, parpadear, fruncir

b

Completa las siguientes frases con el verbo más apropiado.

1. Con el gusto tú .... la comida.
2. Con la vista yo .... la televisión.
3. Con el olfato nosotros .... el perfume.
4. Con el tacto él .... los objetos.
5. Con el oído vosotros .... la música.

- tocar
- oler
- oír
- ver
- saborear

c

Señala la palabra que corresponde a cada definición.

1. pelirrojo   a. Persona sin pelo.
2. parecerse   b. Clase de diente.
3. calva   c. Pelo rojizo.
4. cana   d. Tener parecido con cierta persona o cosa.
5. muela   e. Pelo que se ha vuelto blanco.

ejercicios

Escribe los antónimos de las siguientes palabras escogiéndolos de la columna de la derecha.

flaco/delgado	....	moreno
callado	....	izquierda
derecha	....	bajo
nervioso	....	gordo/grueso
alto	....	adelgazar
rubio	....	sentarse
engordar	....	tranquilo
levantarse	....	hablador

a. Uno de estos cinco verbos no se relaciona con los demás. ¿Cuál es?

> abrazar, guiñar, besar, apagar, chupar, respirar

b. Si no sabes alguna palabra en español, puedes comunicarte mediante movimientos y gestos del cuerpo. Relaciona estos verbos con las descripciones de gestos.

1. sorprenderse	a. Juntar ambas manos a un lado de la cabeza y apoyarla encima.
2. olvidarse	b. Abrir mucho los ojos y echar un poco la cabeza hacia atrás.
3. dormir	c. Darse pequeños golpes con la mano en la frente.

¿De qué palabra se trata? Sólo faltan las consonantes y todas las palabras se encuentran en el léxico.

_ue_ _o	Une la cabeza y el tronco.
_u_e_a	Se encuentra entre la mano y el brazo.
e_ _ó_a_o	Está debajo del pecho.
_ie_	Cubre todo el cuerpo.
_ _e_ _e	Está encima de las cejas.
_o_ _ _o_	Los tenemos cerca del cuello.

Los siguientes sustantivos pertenecen a la mano o al pie, ¡distínguelos!

- el índice
- el talón
- el pulgar
- los nudillos
- el anular
- el meñique
- la palma
- el corazón
- la planta

expresionario

El cuerpo se ofrece como medio de expresión en todos los idiomas; aquí va una muestra de algunas frases y refranes españoles. Los hemos agrupado según las partes del cuerpo de que se trata. De unos decimos el significado o te damos alguna pista; de otros esperamos que el ejemplo te ayude a resolverlo. Algunos suponemos que puedes deducirlos.

Con "mano":

- Estar mano sobre mano.
Es imposible que haya terminado el trabajo; lleva una hora mano sobre mano.
- Dar a manos llenas. (Ser muy generoso.)
- Echar mano de algo / de alguien.
Si no lo consigo solo, echaré mano de mi amigo Luis.

Con "pelo":

- Ponérsele a uno los pelos de punta.
(Hay personas a quienes les pasa eso viendo películas de terror.)

Con "corazón":

- Hacer de tripas corazón.
(Aguantarse, disimular una mala situación.)
- Tener un corazón de piedra.
- Tener buen corazón.

Con partes de la cara:

- Ver, oír y callar.
(La máxima fundamental de los prudentes.)
- Tener algo entre ceja y ceja.
(No dejar de pensar en algo.)
- Tener mucho rostro/cara dura.
- Ir con la frente alta.
(Ir sin avergonzarse o con la conciencia tranquila.)

Con "ojos":

- Tener buen ojo / buena vista / mucha vista.
Adela es un lince: tiene buen ojo para los negocios.
- Ojo por ojo, diente por diente. (Hacer lo mismo que te hacen.)
- Hacer algo sin pestañear. (Hacer algo con mucha atención.)

Con "oídos":

- Hacer oídos sordos.
(No hacer caso.)
- Tener buen oído.

Con "pie":

- Levantarse con el pie izquierdo.
(Ese día las cosas no van muy bien.)

¡vamos a hablar!

¿El aspecto físico de una persona está relacionado con el carácter?

¿Qué cualidades físicas tiene un jugador de baloncesto? ¿Y un nadador?

¿Hay diferencia entre gestos españoles y los que se hacen en tu país?

Describe físicamente a tu padre, tu madre o tu mejor amigo.

¿Son importantes los gestos? ¿Por qué?

¿Qué tipo de personas te gustan?

¿Qué gestos haces cuando estás nervioso?

¿Haces gimnasia? ¿Qué partes del cuerpo usas?

¿Qué ejercicios realizarías diariamente para estar en plena forma?

situaciones

 Necesitas describir físicamente cómo eres a alguien que no te conoce. ¡Hazlo!

 Eres profesor; habla a tus estudiantes de los principales sentidos.

 ¿Puedes explicar a un compañero que apenas sabe español el significado de los siguientes refranes españoles?: "Ojos que no ven, corazón que no siente" y "A palabras necias, oídos sordos".

comprueba lo que sabes

a. ¿Qué partes del cuerpo se utilizan para hacer el ejercicio que se indica en la columna de la izquierda?

b. ¿Qué movimientos hay que realizar en la de la derecha? Enumera los verbos.

c. Encuentra en el texto de abajo las palabras o expresiones opuestas a: "flexionados", "hacia atrás", "cierre" y "relajando".

Sentado en el suelo, abrir las piernas cuanto pueda. Flexionar los pies por los tobillos. Colocar el codo derecho a la derecha de la rodilla derecha, tirar del brazo izquierdo hacia arriba e inclinar tórax y brazo hacia el lado derecho, hasta que las manos queden en contacto. El glúteo izquierdo ha de estar en contacto con el suelo. Mantener la posición 30 segundos, estirando aún más cada vez que se espira.

Rodilla izquierda en el suelo, con el peso del cuerpo hacia atrás hasta sentarse en el talón izquierdo. Estirar la pierna derecha, flexionar el pie por el tobillo. Bajar los brazos lentamente, siempre tirando de la espalda, y, manteniendo los talones sujetos con las manos vueltos hacia el frente, colocarlos en la planta del pie. Mantener la nuca en línea con la espalda. Repetir el ejercicio sobre el talón derecho.

Elevar el tórax, llevar los brazos hacia atrás y colocarlos en el suelo tras las nalgas, estirados y con las manos en el suelo. Colocar los pies en punta y tirar de los dedos de los pies hacia el frente. Este estiramiento se completa colocándose frente a una pared, impulsándote hacia ella y forzando la apertura de piernas. Mantener 30 segundos, espirando lentamente desde la parte baja del abdomen.

capítulo 2

Los alimentos

léxico ¿Cómo se dice en tu lengua?

SUSTANTIVOS

aceite (el) ....

aceituna (la) ....

acelgas (las) ....

agua (el) ....

aguacate (el) ....
Arg. *palta (la)*

ajo (el) ....

albahaca (la) ....

albaricoque (el)
Arg. *damasco (el)* ....
Méx. *chabacano (el)*

alcachofa (la) ....
Arg. *alcuacil (el)*

alioli (el) ....
Méx. *ajiaceite (el)*

almeja (la) ....

almendra (la) ....

anchoa (la) ....

angula (la) ....

aperitivo (el) ....

apio (el) ....

arroz (el) ....

arroz con leche (el) ....

atún (el) ....

avellana (la) ....

azafrán (el) ....

azúcar (el) ....

bacalao (el) ....

batata (la) ....
Méx. **camote (el)**

batido (el)
Arg. **licuado (el)** ....
Méx. **batido, licuado**

beicon (el) ....
Arg. **panceta** [1] **(la)**

berberechos (los) ....

berenjena (la) ....

berro (el) ....

besamel (la) ....
Arg./Méx. **salsa blanca (la)**

besugo (el)
Méx. **besugo, fino (el),** ....
lobena negra (la)

bizcocho (el) ....
Arg. **bizcochuelo (el)**

bocadillo (el) ....

bombón (el) ....

boquerón (el) ....

brécol (el)
Arg. **brócoli (el)** ....
Méx. **col (la)**

[1] Véase *tocino* en Arg.

buey de mar (el) ....

cacahuetes (los) ....
Arg. **maníes (los)**

café (el) ....

calabacín (el)
Arg. **zapallito largo (el),** ....
cuza (la)

calabaza (la) ....
Arg. **zapallo (el)**

calamar (el) ....

canela (la) ....

canelones (los) ....

cangrejo (el) ....

castaña (la) ....

cava (el)
Arg. **champán (el),** ....
champagne (el)
Méx. **cava (la)**

cebolla (la) ....

cebolleta (la) ....
Arg. **cebolla de** ....
verdeo (la)

centollo (el) ....
Arg. **centolla (la)**

cerdo (el) ....
Méx. **cerdo, puerco (el)**

cereales (los) ....

cereza (la) ....

cerveza (la) ....

champán (el) ....

léxico

champiñón (el) ....

chirimoya* (la) ....

chirla* (la) ....

chocolate (el) ....

chopito (el) ....
Méx. **chopa (la)**

chorizo (el) ....

cigala* (la) ....

ciruela (la) ....

clavo (el) ....

col [2] (la) ....

coles de Bruselas (las)
Arg. **repollitos de** ....
Bruselas (los)

coliflor (la) ....

colorante (el) ....

comino (el) ....

condimentos (los) ....

consomé (el) ....

cordero (el) ....

cortezas* (las) ....

cuajada (la) ....

dorada (la)
Arg. **dorado (el)** ....
Méx. **pez dorado (el)**

dulce de membrillo (el),
carne de membrillo (la)
Arg. **dulce de membrillo** ....
Méx. **ate de membrillo (el)**

embutido (el), fiambre (el)
....
Méx. **carnes frías (las)**

empanada (la)
....
Arg. **pastel (el)**

empanadilla (la)
....
Arg. **empanada (la)**

endivia (la) ....

entremeses (los)
Arg. **bocaditos salados (los),**
entremeses ....
Méx. **entremés (el)**

escarola (la) ....

espaguetis (los) ....

espárragos (los) ....

especias (las) ....

espinacas (las) ....

fiambre[3] (el) ....

fideos (los) ....

flan (el) ....

frambuesa (la) ....

fresa (la)
....
Arg. **frutilla (la)**

fruta (la) ....

frutos secos (los)
....
Méx. **frutas secas (las)**

galleta (la) ....

gallo (el) ....

gambas (las)
....
Arg./Méx. **camarones (los)**

*Productos y términos que no existen en Argentina.
[2] Véase *brécol* en Méx.

[3] Véase *embutido*.

garbanzos (los) ....

gaseosa (la) ....
  Méx. **refresco (el)**

gelatina (la) ....

granada (la) ....

guindilla (la) ....

guisante (el) ....
  Méx. **chícharo (el)**
  Arg. **arveja (la)**

haba (la) ....

harina (la) ....

helado (el) ....

higo (el) ....

horchata* (la) ....

hortalizas (las) ....

huevo (el) ....

infusión (la) ....

jamón (el) ....

jengibre (el) ....

jerez (el) ....

judías (las) ....
  Arg. **poroto (el)**
  Méx. **frijol (el), ejote (el)**

judías verdes (las) ....
  Arg. **chaucha (la)**

kiwi [4] (el) ....
  Arg./Méx. **quiwi (el)**

langosta (la) ....

lasaña (la) ....

laurel (el) ....

leche (la) ....

lechuga (la) ....

legumbres (las) ....

lenguado (el) ....

lentejas (las) ....

levadura (la) ....

limón (el) ....

limonada (la) ....

lombarda (la)
  Arg. **repollo morado (el)** ....
  Méx. **berza (la)**

lubina (la) ....
  Arg./Méx. **róbalo (el)**

macarrones (los) ....

maíz (el) ....

mandarina (la) ....

mango (el) ....

mantequilla (la) ....
  Arg. **manteca (la)**

manzana (la) ....

mayonesa [5] (la) ....

mazapán (el) ....

mejillón (el) ....

melocotón (el)
  Arg. **durazno (el)** ....
  Méx. **melocotón, durazno**

*Productos y términos que no existen en Argentina.
[4] La RAE prefiere "quivi".

[5] También se escribe "mahonesa".

17

léxico

melón (el) ....

menta (la) ....

merluza (la) ....

mermelada (la) ....

mero (el) ....

miel (la) ....

mora (la) ....

morcilla (la) ....

mortadela (la) ....

mostaza (la) ....

nabo (el) ....

naranja (la) ....

naranjada (la) ....

nata (la) ....
Arg. **crema de leche (la)**

natillas (las) ....

níspero (el) ....

nuez (la) ....

orégano (el) ....

ostra (la) ....

pan (el) ....

papaya (la) ....
Arg. **mamón (el)**

paraguaya (la) ....
Arg. **durazno-tomate (el)**

pasta (la) ....

pastas (las) ....
Arg. **masas secas (las),
masitas (las)**

pasteles (los) ....
Arg. **masas (las)**

patata (la) ....
Arg./Méx. **papa (la)**

patatas fritas (las)
Arg. **papas fritas (las)** ....
Méx. **papas a la francesa,
papas fritas**

pato (el) ....

pavo (el) ....
Méx. **guajalote (el), pavo**

pepino (el) ....

perejil (el) ....

pescadilla (la) ....

pez espada (el) ....

pimentón (el) ....

pimienta (la) ....

pimiento (el) ....

piña (la) ....
Arg. **ananá (el)**

piñones (los) ....

pipas (las)
Arg. **pepitas (las), semillitas (las)** ....
Méx. **pepitas**

pistacho (el) ....
Méx. **pistache (el)**

plátano (el) ....
Arg. **banana (la)**

pollo (el) ....

polvorón* (el) ....

pomelo (el) ....
Méx. **toronja (la)**

postre (el) ....

puerro (el) ....

queso (el) ....

rape (el) ....

refresco [6] (el) ....

remolacha (la) ....

repollo (el) ....

requesón (el) ....
Arg. **queso crema (el)**

rodaballo (el) ....

sal (la) ....

salchicha (la) ....

salchichón (el) ....
Arg. **salame (el)**

salmón (el) ....

salmonete (el) ....

salsa (la) ....

sandía (la) ....

sardina (la) ....

sepia (la) ....

setas (las) ....
Arg./Méx. **hongos (los)**

sidra (la) ....

sopa (la) ....

tarta (la) ....
Arg. **torta (la)**

té (el) ....

ternera (la) ....

tocino (el) ....
Arg. **tocino, panceta (la)** [7]

tomate (el) ....

tomillo (el) ....

torrija* (la) ....
Méx. **torreja (la)**

trucha (la) ....

turrón (el) ....

uva (la) ....

vaca (la) ....

vainilla (la) ....

vermut (el) ....

vinagre (el) ....

vino (el) ....

yogur [8] (el) ....

zanahoria (la) ....

zumo (el) ....
Arg. **jugo (el)** ....
Méx. **jugo, zumo**

---

* Productos y términos que no existen en Argentina.
[6] Véase *gaseosa* en Méx.

* Productos y términos que no existen en Argentina.
[7] Véase *beicon* en Arg.
[8] En México la forma que se prefiere es "yoghurt".

léxico

ADJETIVOS

ácido/a ....

agrio/a ....

amargo/a ....

avinagrado/a ....

caliente ....

crudo/a ....

crujiente ....

dulce ....

duro/a ....

empalagoso/a ....

espeso/a ....

espumoso/a ....

exquisito/a ....

fresco/a ....

frío/a ....

hambriento/a ....

indigesto/a ....

jugoso/a ....

maduro/a ....

nutritivo/a ....

pasado/a ....

picante	
Méx. **picoso/a**	....

potable ....

refrescante ....

rico/a ....

sabroso/a ....

salado/a ....

sano/a ....

seco/a ....

sediento/a ....

soso/a	
Arg. **desabrido/a, soso/a**	....
Méx. **desabrido/a**	

templado/a	
Arg. **tibio/a, templado/a**	....

tierno/a ....

VERBOS

aderezar, condimentar	
Arg. **condimentar**	....

adobar ....

alimentarse ....

aliñar (la ensalada)	
Arg. **preparar**	....

almorzar	
Arg. **almorzar, comer**	....

asar ....

azucarar ....

batir ....

beber	
Arg./Méx. **tomar, beber**	....

brindar ....

calentar ....

cenar ....

| cocer .... |
| Arg. *cocinar* |

cocinar [9] ....

comer [10] ....

condimentar [11] ....

congelar ....

cortar ....

desayunar ....

descongelar ....

digerir ....

dorar ....

empachar ....

| empanar .... |
| Arg. *rebozar* |

enfriar ....

escurrir ....

freír ....

gratinar ....

| guisar .... |
| Arg. *cocinar* |

hervir ....

lavar ....

merendar ....

pelar ....

pesar ....

picar ....

probar ....

| rebañar .... |
| Arg. *pasar el pan por el plato* |
| Méx. *limpiar el plato* |

rebozar [12] ....

rellenar ....

remover ....

| saber a... .... |
| Arg. *tener gusto a...* |

saborear ....

servir ....

tener hambre ....

tostar ....

triturar ....

---

[9] Véase *cocer* y *guisar* en Arg.
[10] Véase *almorzar* en Arg.
[11] Véase *aderezar*.

[12] Véase *empanar* en Arg.

ejercicios

a Selecciona del vocabulario cinco frutas, cinco verduras, tres legumbres, cuatro clases de carne, cuatro pescados, dos mariscos, dos condimentos, dos fiambres, tres frutos secos, tres salsas y tres bebidas.

....
....
....
....
....
....
....
....

b Completa con el verbo más adecuado.

limpiar, echar, cocer, comprar, pelar

1. Yo .... la naranja con el cuchillo.
2. Mi madre .... los macarrones durante quince minutos.
3. Usted .... el pescado antes de cocinarlo.
4. Tú .... agua en la jarra.
5. Nosotros .... legumbres en el supermercado.

c Relaciona una palabra de la columna de la izquierda con la de la derecha.

1. zumo	a. chorizo
2. tomate	b. racimo
3. cereal	c. naranja
4. pasta	d. espinacas
5. marca	e. Colca-cola
6. uvas	f. patatas
7. puré	g. ensalada
8. verdura	h. ensaimada
9. embutido	i. macarrones
10. bollería	j. arroz

d Busca en las frases el antónimo de los siguientes adjetivos.

1) jugoso, 2) crudo, 3) soso, 4) duro, 5) frío, 6) maduro, 7) ligero, 8) dulce

a. La leche está demasiado caliente.
b. No me gusta la carne pasada.
c. Este filete está tierno.
d. La naranja está muy seca.
e. La fabada es un plato típico español bastante pesado.
f. Prefiero las comidas saladas.
g. El café sin azúcar me parece muy amargo.
h. Los melocotones están verdes.

ejercicios

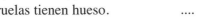

e ¿Verdadero o falso?

	V	F
1. El pescado tiene espinas.	....	....
2. Los plátanos no tienen piel.	....	....
3. Una parte del pollo es el muslo.	....	....
4. La sandía tiene pepitas.	....	....
5. El cordero es un ave.	....	....
6. Las ciruelas tienen hueso.	....	....

f Elige la palabra más adecuada para completar la frase.

> *ácido, harina, carne picada, sopa, marisco,*
> *mermelada, espesa, yema, empalagoso, churros*

1. Para hacer la masa de una tarta se necesita ....
2. Este postre tiene demasiado azúcar. Está muy ....
3. Me gustan las tostadas con confitura de fresa o .... de ciruela.
4. De primer plato siempre tomo algo caliente, por ejemplo una ....
5. El zumo de limón me parece muy ....
6. En España es típico desayunar chocolate con ....
7. Para hacer esa receta sólo tienes que usar la .... del huevo.
8. No quiero esa salsa porque está muy ....
9. En el noroeste de España, en Galicia, se come mucho ....
10. Las hamburguesas se hacen con ....

g

a. ¿Sabes en qué se diferencian estas formas de preparar los huevos?

- fritos
- revueltos
- tortilla francesa
- tortilla española
- al plato
- duros
- pasados por agua
- escalfados
- rellenos

b. Relaciona con flechas.

1. rebanada	
2. corteza	a. Formas de cortar el pan
3. de molde	b. Tipos de pan
4. miga	c. Partes del pan
5. trozo	
6. tostado	

c. ¿Cómo te gusta tomar el café? Distingue las diferentes formas.

- solo
- cortado
- con leche
- descafeinado

ejercicios

h Completa las frases con las palabras de la caja.

> *filetes, chuletas, pechuga, rodajas, muslo, lonchas, solomillo, costillas*

a. Lo que más me gusta del pollo es la .... Sin embargo, a mi hermana, el
....

b. No me gusta mucho la carne con hueso, por eso como más .... que
....

c. -Hola, buenas, ¿qué le pongo?
   -Me da, por favor, cinco .... de jamón de york y diez .... de
   chorizo.

d. Un plato frecuente en el "Menú del día" de algunos restaurantes es patatas con
....

e. Sin duda, la carne que me parece más tierna es el .... de ternera.

expresionario

⬥ **¿Ves alguna relación entre estas expresiones?**

- Quedarse con hambre.
- No hay quien pueda comer esto.
- Ponerse las botas.
- Esto está malísimo.
- No probar bocado.
- Estar lleno.

Haz frases con alguna de ellas.

⬥ **A propósito de "ponerse las botas", explica sus diferentes significados en las siguientes frases.**

- Enseguida termino de vestirme; voy a ponerme las botas.
- Fue una fiesta estupenda: había platos exquisitos y nos pusimos las botas.

⬥ **Alimento básico, el pan es protagonista de expresiones populares. ¿Conoces el significado de estas?**

- Contigo, pan y cebolla.
- A buen hambre no hay pan duro.
- Más bueno que el pan.
- Dame pan y llámame tonto.
- A falta de pan, buenas son tortas.
- El pan nuestro de cada día.
- Con pan y vino se anda el camino.
- Pan con pan, comida de tontos.
- Los duelos con pan son menos.
- Hacer buenas migas.
- Al pan, pan, y al vino, vino.

¡vamos a hablar!

Invitas a cenar a unos amigos, pero te das cuenta de que no hay nada en la nevera. Llama al supermercado y encarga lo necesario. ¿Qué vas a preparar? De primero ...., de segundo .... y de postre .... Y quizás antes de la comida un aperitivo: ....

¿Cuál es tu carne y tu pescado favoritos?

¿Qué verdura te gusta más? ¿Y qué fruta?

¿Qué desayunas normalmente?

¿Comes legumbres con frecuencia?

Esta noche quieres preparar una buena ensalada, ¿qué ingredientes pones?

¿Qué comidas de otros países has probado? ¿Dónde?

¿Te gusta la comida vegetariana? Describe algún plato que conozcas.

Cuando sales a un restaurante, ¿dónde te gusta ir? ¿Prefieres restaurantes caros o baratos?

situaciones

 Te han encargado preparar un menú de siete días para un colegio. ¡Manos a la obra!

 Tienes mucha hambre y poco dinero. ¿Cómo resuelves el problema?

 La carne que te han servido sabe mal. ¿Qué haces? ¿Qué le dices al camarero?

 Debes explicar cómo se hace un plato típico de tu país. Si no sabes, te proponemos que "prepares" una pizza, una tortilla de patata o una tarta de manzana.

comprueba lo que sabes

a. Di con tus propias palabras los pasos que has seguido para preparar los garbanzos a la asturiana.

GARBANZOS A LA ASTURIANA

Ingredientes:

500 gramos de garbanzos remojados.
100 gramos de chorizo.
200 gramos de tocino.
Un decilitro de aceite.

Ponga en la cazuela los garbanzos con el tocino y el chorizo cortado a trocitos, la cebolla cortada fina y el aceite. Se le añade un litro de agua, se sazona con sal y se tapa la cazuela, dejándola cocer durante 35 minutos.
Los garbanzos se sirven en una fuente.

b. Explica a los que no conocen la cocina española qué es el chorizo, cómo se hace la tortilla de jamón y qué es una empanada.

c. Hoy en las romerías campestres la historia se repite, casi, casi, con el mismo rigor tradicional.

"… En sartenes y cazuelas
se descubren varios guisos
que con lenta parsimonia*
devoran grandes y chicos.
Allí las ricas tortillas
de jamón o de chorizo,
de patatas o escabeche
al gusto de quien lo quiso;
y los pollos tomateros,
y las empanadas que hizo

la habilidad culinaria
del panadero vecino;
allí truchas y chuletas,
fiambres y postres finos,
todo remojado con
el picante "rescantillo"**,
pues en Castilla y León
nunca hay fiesta si no hay vino".

* Calma o moderación.
** Variedad de vino leonés.

capítulo 3

En familia

léxico ¿Cómo se dice en tu lengua?

SUSTANTIVOS

abuelo/a (el/la) ....

ahijado/a (el/la) ....

apellido (el) ....

bautizo (el)
    Arg. **bautismo (el)** ....

bisabuelo/a (el/la) ....

boda (la)
    Arg. **casamiento (el),** ....
        boda

consuegro/a (el/la) ....

cónyuge (el/la) ....

cuñado/a (el/la) ....

descendiente (el/la) ....

divorcio (el) ....

esposo/a (el/la) ....

familiares (los) ....

hermano/a (el/la) ....

hijo/a (el/la) ....

hijo/a político/a (el/la) ....

huérfano/a (el/la) ....

luna de miel (la) ....

madrastra (la) ....

madre (la)
    Arg./Méx. **mamá (la),** ....
        madre

madrina (la) ....

marido (el) ....

matrimonio (el) ....

léxico

mujer (la) ....

nacimiento (el) ....

nieto/a (el/la) ....

nombre (el) ....

noviazgo (el) ....

novio/a (el/la) ....

nuera (la) ....

padrastro (el) ....

padre (el)
    Arg./Méx. **papá (el),** ....
           padre

padres (los) ....

padrino (el) ....

pareja (la) ....

pariente/a (el/la) ....

pretendiente (el/la) ....

primo/a (el/la) ....

primogénito/a (el/la) ....

progenitor/-a (el/la) ....

prometido/a (el/la) ....

sobrino/a (el/la) ....

suegro/a (el/la) ....

tatarabuelo/a (el/la) ....

tío/a (el/la) ....

viudo/a (el/la) ....

yerno (el) ....

ADJETIVOS

adoptivo/a ....

casado/a ....

civil ....

conyugal ....

divorciado/a ....

descendiente ....

enamoradizo/a ....

enamorado/a ....

familiar ....

filial ....

fraternal ....

materno/a ....

mimado/a ....

nupcial ....

paterno/a ....

religioso/a ....

separado/a ....

soltero/a ....

único/a (hijo/a) ....

viudo/a ....

VERBOS

adoptar ....

apellidarse ....

bautizar ....

casarse ....

criar ....

dar a luz ....

dar el pésame ....

declararse ....

divorciarse ....

emparentar ....

enamorarse ....

estar de luto ....

heredar ....

llamarse ....

mantener a la familia ....

morir ....

nacer ....

quedar(se) viudo/a ....

separarse ....

ejercicios

Completa las frases de acuerdo con la ilustración.

Juan Álvarez ⟷ María García

Eva Álvarez García — Mario Álvarez García

Víctor López Pérez ⟷ Irene Sánchez Fernández

Marta López Álvarez — Pablo López Álvarez — Fernando Álvarez Fernández

1. Juan y María son .... y ....
2. Tienen dos .... , su .... es Eva y su .... es Mario.
3. María es la .... de Mario y de Eva; Juan es su ....
4. Eva es .... de Mario.
5. Marta, Pablo y Fernando son .... de Juan y María; Juan y María son sus ....
6. Mario es el .... de Marta y de Pablo.
7. Marta es .... de Mario; Fernando es .... de Eva.
8. Marta y Pablo son .... de Fernando.
9. Juan es el .... de Víctor y de Irene; María es su ....
10. Víctor es el .... de Juan y María; Irene es la .... de Juan y María. Irene y Eva son ....

b

Di cuál es la palabra correcta.

divorciada, separada, soltera, viuda, casada

1. Una persona que nunca ha tenido mujer o marido, está ....
2. Una persona que sí tiene mujer o marido, está ....
3. Una persona que tenía mujer o marido pero que se le murió, está ....
4. Una persona que tiene mujer o marido pero no vive con él o con ella, está ....
5. Una persona que tenía mujer o marido pero ya no lo tiene legalmente y podría tener otro, está ....

c

Completa cada frase con la preposición más adecuada.

entre, para, en, a, con, de, desde, por

1. Mis padres viven .... Madrid .... hace 13 años.
2. Esta tarde iré .... mi padrino al cine.
3. .... las mañanas siempre doy un beso .... mi madre.
4. Este regalo es .... mi abuela.
5. Mi cuñado es .... Inglaterra. Nació en una ciudad situada .... Londres y Brighton.

ejercicios

d Ordena adecuadamente las letras y verás cinco palabras del vocabulario de la familia.

1. SEORGU	....	Es el padre de mi marido.
2. NAOFÉRUH	....	Se le han muerto los padres.
3. IAJODAH	....	Soy su madrina.
4. BNOSROI	....	Es el hijo de mi hermana.
5. ANERU	....	Es la mujer de mi hijo.

e Escoge la palabra más adecuada para completar la frase.

> *parientes, yerno, declararse, marido, bautizar, boda,
> bendecir, por lo civil, familia numerosa, adoptar*

1. Esta tarde se casa mi hermano. La .... es a las cinco.
2. El marido de mi hija es mi ....
3. El cura va a .... a los novios.
4. Mis padres no son creyentes, solamente se casaron ....
5. Todas las personas de mi familia son mis ....
6. Tienen cuatro hijos, por eso son ....
7. Aún no le ha dicho que está enamorada de él, pero esta tarde va a ....
8. Van a .... a mi sobrina, se llamará Eva.
9. No tienen hijos pero quieren .... uno.
10. Inteligente, guapo, cariñoso y responsable; así será mi ....

f

a. ¿Puedes decir sustantivos derivados de estos verbos?

• separar	....	• casar	....
• declarar	....	• anular	....
• bautizar	....	• adoptar	....

b. ¿De cuál de los sustantivos sería "boda" un sinónimo? ¿Conoces otro más?

....
....

c. ¿Qué significado tiene la palabra "mujer" en las siguientes frases?

• Es una *mujer* con mucha personalidad.
• La *mujer* de mi tío es periodista.
• Pero ¡*mujer*!, quítate el abrigo; hace mucho calor.

👄 Forma una frase contraria a *No me entiendo bien con mi familia.* ¿Qué eliges: "llevarse bien" o "comprender"?

....

👄 ¿A quién se le llama "solterón/solterona"?

....

👄 ¿Qué es ser hijo único?

....

👄 Con una palabra de las expresiones anteriores podrás completar el siguiente refrán:

• Cuarenta años y ....
¡Qué suerte tienes, ladrón!

👄 ¿Sabrías qué quieren decir?

• El casado casa quiere.
• De tal palo tal astilla.
• Boda y mortaja, del cielo bajan.

👄 ¿Sabes qué significan?

• Dar calabazas.
• Celebrar las bodas de plata/oro.

¡vamos a hablar!

¿Cuántos hermanos tienes? ¿Son mayores o menores que tú?

¿Preferirías ser hijo único o tener familia numerosa? Explica las razones.

¿Viven tus abuelos? ¿Viven solos o con tu familia?

¿Tienes padrinos? ¿Quiénes son?

¿Qué tipo de personas te gustan?

¿Cuántos hijos te gustaría tener? ¿Por qué?

¿Te gustaría casarte? ¿Cómo quieres que sea tu marido o tu mujer?

¿Hay en tu país el mismo uso de los apellidos que en España?

Di las personas que componen tu familia.

¿Cómo te llevas con tu familia? ¿Con quién te llevas mejor? ¿Y peor?

El presidente o el rey de una nación, ¿debe estar casado o soltero? ¿Por qué?

situaciones

 Estamos "en familia": tus dos cuñadas no se llevan bien; explícanos a qué crees que se debe.

 Estás enamorado/a de un/-a chico/a que no te hace caso. ¿Qué haces?

 Te ha invitado a su casa un pariente, pero no te agrada su forma de ser. ¿Cómo actúas?

 Tienes que organizar un debate en tu clase sobre la estructura familiar.
En primer lugar, prepara una lista con puntos a favor y en contra. Luego haz una breve introducción oral al tema.

Establece el parentesco de cada uno de los miembros de la Familia Real española: hay padres, abuelos, nietos, cuñados. Si necesitas ayuda consulta la página de Internet www.casareal.es

capítulo 4

La **ropa**

léxico ¿Cómo se dice en tu lengua?

SUSTANTIVOS

abrigo (el) ....
  Arg. **tapado (el)**

alfiler de corbata (el) ....
  Méx. **fistol (el)**

algodón (el) ....

americana (la)
  Arg. **campera (la)** ....
  Méx. **chaqueta (la)**

anillo [1] (el) ....

ante (el) ....

bajo (el) ....
  Arg./Méx. **dobladillo (el)**

bañador (el), traje de baño (el)
  Arg. **malla (la)** ....
  Méx. **traje de baño**

bata (la) ....

blusa (la) ....

[1] Véase *sortija* en Méx.

bolsillo (el) ....

bolso (el) ....
Méx. **bolsa (la)**

bordado (el) ....

botas (las) ....

botones (los) ....

bragas (las)
Arg. **bombacha (la)** ....
Méx. **calzones (los)**

broche (el) ....

bufanda (la) ....

cadena (la) ....

calcetines (los) ....
Arg. **medias (las)**

calzoncillos (los) ....

camisa (la) ....

camisón (el) ....

capa (la) ....

cazadora (la)
Arg. **campera (la)** ....
Méx. **chamarra (la)**

chaqueta (la) ....
Arg./Méx. **saco (el)**

chaquetón (el) ....
Arg. **sacón (el)**

chubasquero (el),
impermeable (el)
Arg. **piloto (el),** ....
impermeable
Méx. **impermeable**

cintura (la) ....

cinturón (el) ....

colgante (el) ....
Méx. **dije (el)**

collar (el) ....

corbata (la) ....

corte (el) ....

cremallera (la) ....
Arg./Méx. **cierre (el)**

cuello (el) ....

cuero (el) ....

encaje (el) ....

falda (la) ....
Arg. **falda / pollera (la)**

fibra (la) ....

fieltro (el) ....

forro (el) ....

franela (la) ....

gabardina (la) ....

gargantilla (la) ....

gemelos (los) ....

gorra (la) ....

gorro (el) ....

grandes almacenes (los)
....
Arg. *grandes tiendas (las)*

guantes (los) ....

hebilla (la) ....

hilo (el) ....

impermeable [2] (el) ....

jersey (el)

Arg. *pulóver (el),*
suéter (el) ....

Méx. *suéter de punto (el)*

lana (la) ....

licra (la) ....

manga (la) ....

manoplas (las) ....

medias (las) ....

pajarita (la)
Arg. *corbata moñito (la)* ....

Méx. *corbata de moñito (la)*

pana (la) ....

pantalón (el) ....

pantalón vaquero (el)
....
Arg. *jean (el)*

paño (el) ....

[2] Véase *chubasquero*.

pañuelo (el) ....

pendientes (los)

Arg. *aros (los)* ....

Méx. *aretes (los)*

piel (la) ....

pijama (el)
....
Méx. *pijama (la)*

pinzas (las) ....

pulsera (la) ....

puños (los) ....

raso (el) ....

rebeca (la)

Arg. *saquito tejido (el)*
....
Méx. *chamarra de*
gamuza (la)

reloj (el) ....

sandalias (las)
....
Méx. *huaraches (los)*

seda (la) ....

solapa (la) ....

sombrero (el) ....

sortija (la)
....
Arg./Méx. *anillo (el)*

sujetador (el)

Arg. *corpiño (el)* ....

Méx. *brassier (el)*

léxico

talla (la)
....
Arg. **talle (el)**

tejido (el)
....

tela (la)
....

terciopelo (el)
....

tienda (de ropa) (la)
....
Arg./Méx. **casa de modas (la)**

tirantes (los)
....
Arg. **tiradores (los)**

traje (el)
....

vestido (el)
....

zapatillas (las)
....

zapatillas de deporte (las)
....
Méx. **tenis (los)**

zapatos (los)
....

ADJETIVOS

ajustado/a, ceñido/a
....

amarillo/a
....

ancho/a
....

anticuado/a
....

azul claro
....

azul marino
....

azul turquesa
....

beige [3]
....

blanco/a
....

bordado/a
....

ceñido/a [4]
....

chillón / chillona
....
Méx. **chillante**

corto/a
....

elegante
....

escotado/a
....

estampado/a
....

estrecho/a
....

formal
....

forrado/a
....

fucsia
....

granate
....
Arg. **bordeaux [5]**

grande
....

gris
....

grueso/a
....

informal
....

largo/a
....

liso/a
....

malva
....

[3] Se pronuncia como palabra francesa y también "beis". En Méx. prefieren la primera pronunciación.
[4] Véase *ajustado/a*.
[5] Se pronuncia "bordó".

37

léxico

moderno/a ....

morado/a ....

naranja ....

negro/a ....

pequeño/a ....
Arg. **chico/a**

rojo/a ....

rosa ....

roto/a ....

suelto/a ....

tableado/a ....

transparente ....

verde ....

violeta ....

coser ....

desabrochar(se) ....

desatar(se) ....

descoser(se) ....

desnudar(se) ....

desteñir ....

estrenar ....

limpiar ....

llevar puesto ....

manchar(se) ....

planchar ....

ponerse (los zapatos,
la ropa) ....

probarse ....

quedar, sentar (bien/mal) ....
Méx. **quedar (bien, mal)**

quitarse ....

vestir(se) ....

VERBOS

abrigar(se) ....

abrochar(se) ....

arreglarse ....

arrugarse ....

atarse ....
Méx. **amarrar**

cambiarse ....

comprar ....

38

ejercicios

a **a.** Encuentra en el vocabulario cinco clases de calzado, cinco prendas que normalmente se utilizan en invierno, cuatro objetos de adorno y seis palabras que te ayudarán en tus compras.

....
....
....
....

b. Identifica cada dibujo con la expresión adecuada.

1. de rayas   2. liso   3. de cuadros   4. estampado   5. de lunares

a.   b.   c.   d.   e.

b Relaciona cada palabra con el tejido más apropiado.

1. pantalón   a. seda
2. camisa   b. lana
3. pañuelo   c. pana
4. jersey   d. algodón

c **a.** Explica qué es:

• una percha   ....
• un probador   ....
• una ganga   ....
• un botón   ....
• una etiqueta   ....
• un espejo   ....

b. ¿Dónde puedes encontrar todas esas cosas?

....

d Relaciona las columnas.

1. Cintas elásticas para sujetar pantalones.   a. sastre
2. Pieza del zapato que lo levanta.   b. tirantes
3. Persona que hace trajes.   c. tacón
4. Armario para la ropa.   d. ropero
5. Prenda impermeable a la lluvia.   e. gabardina

ejercicios

e Cada uno de los siguientes verbos, relacionados con la ropa y con la acción de ir de compras, tiene una vocal que no le corresponde. ¿Puedes encontrar el error y decir la forma correcta?

• llavar	• escager	• vistirse ....
• desteñer	• mararse	• arrogar ....
• pinerse	• quetarse	• prebarse ....

f Escribe una frase con los siguientes grupos de palabras.

- elegante / abrigo / de piel ....
- cómodo / traje / sentar bien ....
- de rayas / chaleco / de moda ....
- vaqueros / excursión / desteñido ....
- talla / sección / pijama ....
- lleno de gente / barato / desorganizado ....
- caro / seda / bufanda ....

expresionario

🗨 ¿Estás de acuerdo en que el hábito hace al monje? ¿Y en que aunque la mona se vista de seda, mona es y mona se queda?

🗨 Preocupados por el aspecto decimos, por ejemplo:
Esto está de moda. / Esto está pasado de moda.
Le queda muy bien. / Le sienta muy bien.
Me hace muy gordo/a, delgado/a.

- Di dos prendas de vestir que estén de moda y una que esté pasada de moda.

    ....

- Di dos prendas de vestir o colores que te sienten bien y dos que te sienten mal.

    ....

- Di una prenda que te haga delgado/a y otra que te haga gordo/a.

    ....

🗨 "Sentar", "sentir": uno de estos verbos puede cambiarse por "quedar", ¿cuál?

- *Natalia, sienta bien a tu hermano en la silla, que se va a caer.*
- *Te sienta de maravilla ese pantalón.*
- *No siento que se haya roto el jarrón; era muy feo.*
- *El café no me sienta bien después de comer.*

¡vamos a hablar!

¿Qué tipo de ropa te gusta, formal o informal? ¿Te gusta vestir de manera elegante o deportiva?

¿Qué llevas puesto ahora?

Si tienes una entrevista de trabajo, ¿qué te pones?

¿Es importante la forma de vestirse?

¿Qué ropa llevas en invierno? ¿Y en verano?

¿Puedes definir a una persona por la ropa que lleva? ¿Por qué?

¿Qué compras en los grandes almacenes? ¿Compras en tiendas pequeñas? ¿Dónde te gusta ir?

¿Te pruebas la ropa o compras mirando la talla solamente?

¿Cada cuánto tiempo te compras ropa? ¿Te gastas mucho dinero?

¿Qué te parece la actual "manía" de la ropa de marca?

¿Te gusta comprar en las rebajas? ¿Por qué sí? ¿Por qué no?

situaciones

 Y ahora "de compras", dice el guía de una excursión para informar de que hay tiempo libre para comprar recuerdos, ropa, etc. Tú eres precisamente ese guía; informa.

 Quieres cambiar una camisa que no te queda bien. ¿Qué haces? ¿Qué le dices al dependiente? ¿Qué te pregunta?

 Vas a conocer a una persona famosa. ¿Cómo te vistes?

 Vas al campo este fin de semana. ¿Qué ropa piensas llevar? Describe el contenido de tu maleta o bolsa de viaje.

 Estás en un desfile de modas: describe a dos modelos –hombre y mujer–.

comprueba lo que sabes

Atrás Adelante Detener Actualizar Página principal Favoritos Historial Buscar

Dirección: http://www.venca.es Ir

Página inicial de actualidad Apple Computer Soporte de Apple Apple Store

venca

En tu cumpleaños te han regalado 20.000 pesetas para que te compres ropa. Necesitas algo formal para ir al trabajo, pero también te apetece algo informal. Ve a la dirección http://www.venca.es/.

1. Elige Hombre o Mujer según convenga.

2. Si eres mujer, pulsa sobre las secciones Moda clásica y Moda informal y escoge de cada una de ellas un conjunto. Si eres hombre, pulsa sobre Hombre ciudad y Hombre informal.
➡ ¿Por qué prendas te has decidido? ....
➡ Describe el conjunto y los materiales. (Para ver los detalles pulsa sobre la foto de la prenda seleccionada.)

Moda clásica / Hombre ciudad	Moda informal / Hombre informal
....	
....	....
....	....
....	....
	....

3. ¿En cuántos colores está disponible? (Abre las opciones de Referencia.)
....

4. ¿Cuánto te has gastado en total?
....

5. Si todavía te sobra algo de dinero de las 20.000 pesetas, vuelve a la página principal.
➡ Si eres Mujer selecciona complementos.
¿Puedes comprar algo con el dinero que te sobra? ¿Qué has elegido? ¿Cómo es?
➡ Si eres hombre, entra en Ropa informal y elige un producto que te guste. ¿Qué has elegido? Descríbelo.

Zona de Internet

El tiempo y la tierra

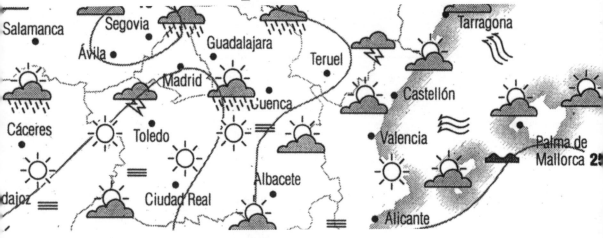

léxico ¿Cómo se dice en tu lengua?

SUSTANTIVOS

aguacero (el) ....

aire (el) ....

alud (el), avalancha (la)
Arg./Méx. **avalancha** ....

amanecer (el) ....

anochecer (el) ....

anticiclón (el) ....

arco iris (el) ....

archipiélago (el) ....

atardecer (el) ....

atmósfera (la) ....

avalancha [1] (la) ....

bahía (la) ....

bochorno (el)
Arg. **calor (el)** ....

brisa (la) ....

bruma (la) ....

cabo (el) ....

cadena montañosa (la) ....

calor (el) ....

chubasco (el)
Arg. **aguacero (el)** ....

[1] Véase alud.

43

léxico

ciclón (el) ....

clima (el) ....

continente (el) ....

copo (el) ....

cordillera (la) ....

deshielo (el) ....

desierto (el) ....

escarcha (la) ....

estrecho (el) ....

estrella (la) ....

estuario (el) ....

frente (el) ....

frío (el) ....

golfo (el) ....

gota (la) ....

grados (los) ....

granizo (el) ....

helada (la) ....

hemisferio (el) ....

hielo (el) ....

humedad (la) ....

huracán (el) ....

inundación (la) ....

invierno (el) ....

isla (la) ....

llanura (la) ....

llovizna (la) ....

lluvia (la) ....

luna (la) ....

macizo (el) ....

marea (la) ....

maremoto (el) ....

meseta (la) ....

meteorología (la) ....

montaña (la) ....

niebla (la) ....

nieve (la) ....

nube (la) ....

océano (el) ....

otoño (el) ....

península (la) ....

predicción (la),
pronóstico (el) ....

Arg. **pronóstico**

presión (la) ....

primavera (la) ....

rayo (el) ....

relámpago (el) ....

rocío (el) ....

selva (la) ....

sequía (la) ....

sierra (la) ....

sol (el) ....

temperatura (la) ....

tempestad (la) ....

termómetro (el) ....

terremoto (el) ....

tormenta (la) ....

trueno (el) ....

vendaval (el) ....

ventisca (la) ....

verano (el) ....

viento (el) ....

volcán (el) ....

variable ....

ventoso/a ....

Méx. **airoso**

ADJETIVOS

agitado/a ....

brumoso/a ....

cálido/a ....

caluroso/a ....

claro/a ....

cubierto (el cielo) ....

desértico/a ....

despejado/a ....

estable ....

fresco/a ....

frío/a ....

húmedo/a ....

huracanado/a ....

inestable ....

lluvioso/a ....

meteorológico/a ....

montañoso/a ....

nublado/a ....

revuelto/a ....

rocoso/a ....

seco/a ....

sofocante ....

soleado/a ....

tormentoso/a ....

VERBOS

aclarar(se) ....

arrasar ....

calmarse ....

derretirse ....

despejar (se) ....

estallar (una tormenta) ....

estar nublado ....

granizar ....

Arg. **caer granizo**

hacer (frío, fresco, calor, viento...) ....

helar ....

inundar ....

llover ....

nevar ....

nublarse ....

pronosticar ....

soplar viento ....

tronar ....

ejercicios

a

Busca en el vocabulario palabras adecuadas para continuar las series.

- Primavera, verano...
- Grados, temperatura...
- Terremoto, inundación...
- Lluvia, nieve...
- Rayo, trueno...
- Día, noche...

b

Completa las siguientes frases con el verbo más apropiado.

nevar, granizar, helar, llover

1. Generalmente cuando .... utilizamos el paraguas.
2. Si la temperatura del agua es inferior a cero grados se ....
3. Para poder esquiar es necesario que .... mucho.
4. Cuando caen bolas de agua helada con fuerza decimos que ....

c

a. ¿Qué adjetivo escogerías para oponer a estos?

- seco
- tropical
- nublado

húmedo, hermoso, desértico, soleado, florido, templado, lluvioso, ventoso

b. Completa el siguiente refrán. En la lista de la caja tienes los adjetivos adecuados.

Marzo .... y abril .... hacen a mayo .... y ....

d

¿Es verdadero o falso?

	V	F
1. La nieve cae en forma de copos.	....	....
2. Normalmente en Londres hay mucha niebla.	....	....
3. El huracán es un viento suave.	....	....
4. Con el termómetro es posible conocer la velocidad del viento.	....	....
5. Un maremoto es un terremoto marino.	....	....

e

Escoge la palabra más adecuada para completar la frase.

trueno, pronóstico, brisa, meteorología, marea, rocío, nubes, arco iris, granizo, tormenta

1. El cielo estaba muy oscuro y cubierto de ....
2. A las cinco de la mañana generalmente se puede ver .... en la hierba.
3. La .... es un viento suave y agradable que sopla en las ciudades de la costa.
4. Primero vimos un rayo en el cielo y luego oímos el ....

5. Según la televisión, el .... para mañana no es favorable.

6. En la orilla del mar puede verse cómo sube y baja la ....

7. Algunas veces, cuando llueve y luego sale el sol, podemos ver el ....

8. Cuando hay truenos, rayos y relámpagos se dice que hay una ....

9. La lluvia fuerte de forma helada se llama ....

10. La ciencia que estudia el tiempo es la ....

f Indica verbos o adjetivos relacionados con las siguientes palabras y escribe una frase con cada uno de ellos.

inundación, trueno, predicción, calor, frío

....

....

....

....

....

expresionario

Decimos *hace frío, calor, sol, viento*. Pero, en cambio, decimos *llueve y nieva*. De forma muy coloquial se dice:

Hace un frío que pela.   Llueve a cántaros.   Estoy calado hasta los huesos.

• ¿Sabes qué significan?

Si hace un calor sofocante y molesto, generalmente en el verano, con o sin viento caliente, se dice que *hace bochorno*.
• ¿Tiene el mismo significado la palabra "bochorno" en estas frases?

Estamos a 45°. ¡Qué bochorno!
Se me han roto los pantalones en el escenario, ¡qué bochorno!

La lluvia es origen de numerosas expresiones. Explica el significado de las siguientes.

• *Siempre que ha llovido, ha escampado.*
• *Llueve sobre mojado.*
• *Ha llovido mucho desde…*

¡vamos a hablar!

¿Cómo es el clima en la ciudad donde vives?

¿Te dan miedo las tormentas? ¿Has estado en alguna situación peligrosa debido al mal tiempo?

¿Te gusta la lluvia? ¿Qué sueles hacer cuando llueve?

¿Cuál te parece la temperatura ideal? ¿Qué tiempo prefieres?

¿Te parece importante escuchar en televisión o leer en los periódicos el pronóstico del tiempo?

¿Te gusta la nieve? ¿Has estado en lugares donde nieva mucho?

¿Te gusta la primavera? ¿Por qué mucha gente dice que la primavera tiene aspectos negativos?

¿Influye el tiempo en tu comportamiento? ¿Cómo?

¿Puedes describir el clima de alguna de estas ciudades: Londres, Nueva Delhi, México DF, Estocolmo, Nueva York, Buenos Aires?

situaciones

 Vas a salir de viaje y quieres saber qué tiempo hará mañana. Llama al servicio de información y cuéntanos qué te han dicho.

 Estás de excursión en unas montañas y de repente comienza una terrible tormenta con truenos y relámpagos. ¿Qué haces?

 Vives en una ciudad muy fría y vas a mudarte a otra donde hace muchísimo calor. ¿Cómo te preparas?

 En vacaciones piensas ir a un lugar con nieve. ¿Adónde irás? Describe el sitio.

comprueba lo
que sabes

EL TIEMPO ESPAÑA HOY

J. L. RON

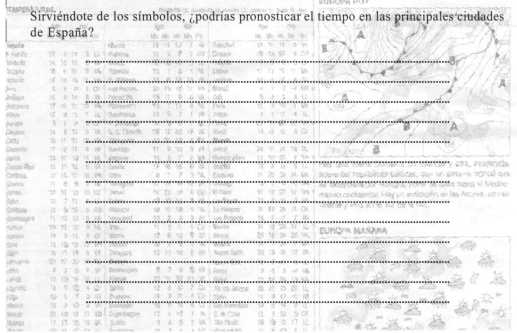

Sirviéndote de los símbolos, ¿podrías pronosticar el tiempo en las principales ciudades de España?

capítulo 6

La vivienda

léxico ¿Cómo se dice en tu lengua?

SUSTANTIVOS

aire acondicionado (el) ....

alfombra [1] (la) ....

almohada [2] (la) ....

alquiler (el) ....
Méx. **renta (la)**

apartamento (el)
Arg. **departamento (el)**
....
Méx. **departamento, apartamento**

armario (el) ....
Méx. **armario , ropero (el)**

ascensor (el) ....
Méx. **ascensor, elevador (el)**

aspirador (el), aspiradora (la) ....
Arg. **aspiradora**

azulejo (el) ....

balcón (el) ....

bandeja (la) ....

banqueta (la) ....

[1] Véase *moqueta* en Arg.
[2] Véase *cojín* en Méx.

bañera (la)
Arg. **bañadera (la),
bañera** ....
Méx. **tina de baño (la)**

barandilla (la) ....
Méx. **barandal (el)**

batería de cocina (la) ....

batidora (la) ....

biblioteca [3] (la) ....

bodega (la) ....

bombilla (la)
Arg. **lámpara (la),
foco (el)** ....
Méx. **foco**

bote (el) ....

buhardilla (la) ....
Méx. **desván (el)**

cacerola (la) ....

cajón (el) ....

calefacción (la) ....

cama (la) ....

cámara frigorífica (la) ....

casa (la) ....

cazo (el) ....
Arg. **jarro (el)**

cerámica (la) ....

cerradura (la) ....

cerrojo (el) ....

chalet [4] (el) ....

chimenea (la) ....

cocina (la) ....

³ Véase *librería* en Arg. y Méx.
⁴ Esta forma alterna con "chalé", que es la preferida por la RAE.

cojín (el)
Arg. **almohadón
pequeño (el)** ....
Méx. **cojín, almohada**

colador (el) ....
Méx. **colador,
coladora (la)**

colcha (la) ....

colchón (el) ....

comedor (el) ....

cómoda (la) ....

congelador (el)
Arg. **congelador,
freezer (el)** ....

copa (la) ....

cortinas (las) ....

cuadro (el) ....

cuarto (el),
habitación (la) ....
Arg. **habitación**

cuarto de baño (el) ....
Arg. **baño (el)**

cubertería (la) ....
Arg./Méx. **juego de
cubiertos (el)**

cubo de basura (el)
Arg. **tacho de basura,
tarro de basura (el)** ....
Méx. **bote de basura (el)**

cuchara de postre (la) ....

cuchara sopera (la) ....

cucharilla (la) ....
Arg./Méx. **cucharita (la)**

cucharón (el) ....

cuchillo (el)

cuna (la)

despacho (el)
  Arg. **escritorio (el)**

desván [5] (el)

domicilio (el)

dormitorio (el)

ducha (la)
  Méx. **regadera (la)**

edificio (el)

edredón (el)
  Arg. **acolchado (el)**

embudo (el)

entrada (la), recibidor (el)

entresuelo (el)
  Arg. **entrepiso (el)**

escalera (la)

escayola (la)
  Arg. **revoque (el)**
  Méx. **estuco (el)**

escritorio [6] (el)

espejo (el)

espumadera (la)

estante (el)

estantería (la)

estudio (el)

fachada (la)

florero (el)

fregadero (el)
  Arg. **lavadero (el),
       pileta de cocina (la)**

frigorífico (el)/nevera (la)
  Arg. **heladera (la)**
  Méx. **refrigerador (el)**

frutero (el)
  Arg. **frutera (la)**

fuente (la)

garaje (el)

grifo (el)
  Méx. **llave (de agua) (la)**
  Arg. **canilla (la),
       pico (el)**

habitación [7] (la)

horno (el)

inquilino/a (el/la)

interruptor (el)
  Arg. **llave de luz (la)**

jardín (el)

jarra (la)

jarrón (el)

ladrillo (el)

lámpara (la)

lavabo (el)
  Arg. **pileta del baño (la)**

lavadora (la)
  Arg. **lavarropa (el)**

lavaplatos (el),
lavavajillas (el)
  Arg. **lavavajilla (el),
       lavaplato (el)**

librería (la)
  Arg./Méx. **biblioteca (la)**

[5] Véase *buhardilla* en Méx.
[6] Véase *despacho* en Arg.

[7] Véase *cuarto.*

llave (la) ....

madera (la) ....

manta (la) ....

mecedora (la) ....

mesa (la) ....

mesilla (la)
> Arg. **mesita (la)** ....

microondas (el)
> Méx. **horno de microondas (el)**

mirador (el) ....

mirilla (la) ....

moqueta (la)
> Arg. **alfombra (la)** ....

nevera (la)
> Arg. **heladera (la)** ....
> Méx. **hielera (la)**

olla (la) ....

paragüero (el) ....

pared (la) ....

parqué (el) ....

parrilla (la) ....

pasillo (el) ....

patio (el) ....

persiana (la) ....

piso (el) ....

planta (la) ....

plato (el) ....

plato de postre (el) ....

plato hondo (el) ....

plato liso/llano (el)
> Arg. **plato playo (el)** ....
> Méx. **plato extendido (el)**

portal (el) ....

propietario/a (el/la) ....

puerta (la) ....

rascacielos (el) ....

recibidor [8] (el) ....

sábanas (las) ....

sala de estar (la)
> Arg. **living (el)** ....

salón (el)
> Arg. **living (el)** ....
> Méx. **sala (la)**

sartén (la) ....

secador (de pelo) (el)
> Méx. **secadora (la)** ....

secadora (de ropa) (la)
> Arg. **secador de ropa (el)** ....

silla (la) ....

sillón (el) ....

sofá (el) ....

sótano (el) ....

suelo (el) ....

taza (la) ....

tazón (el) ....

techo (el) ....

tejado (el) ....

tejas (las) ....

tenedor (el) ....

terraza (la) ....

timbre (el) ....

toalla (la) ....

[8] Véase entrada.

53

toldo (el) ....

tostador (el), tostadora (la)
Arg. *tostadora* ....
Méx. *tostador*

trastero (el) ....
Arg. *cuartito (el)*

vajilla (la) ....

valla (la) ....

vaso (el) ....

ventana (la) ....

vidrio (el) ....

visillo (el) ....

vitrina (la) ....

ADJETIVOS

abandonado/a ....

amplio/a, espacioso/a ....

amueblado/a ....

cómodo/a ....

deshabitado/a ....

deteriorado/a ....

exterior ....

habitado/a ....

interior ....

libre ....

lujoso/a ....

luminoso/a ....

modesto/a ....

nuevo/a ....

oscuro/a ....

ruidoso/a ....

tranquilo/a ....

VERBOS

alquilar ....
Méx. *alquilar, rentar*

amueblar ....

barnizar ....

barrer ....

comprar ....

decorar ....

diseñar ....

edificar ....

fregar ....
Arg./Méx. *lavar*

habitar ....

instalar(se) ....

lavar ....

limpiar ....

mudarse, cambiarse de casa ....

pasar la aspiradora, el aspirador ....

pintar ....

quitar el polvo ....
Arg. *sacudir*
Méx. *sacudir, quitar el polvo*

vender ....

ejercicios

a Busca en el vocabulario las palabras que pertenecen a los siguientes grupos.

Habitaciones: ....
Muebles: ....
Ropa de casa: ....
Electrodomésticos: ....
Utensilios de cocina: ....

b Explica las diferencias entre estas palabras.

apartamento, piso, chalet, estudio

c Di en qué lugar o lugares de la casa encontrarías...

• un grifo ....
• un fregadero ....
• un peso / una báscula ....
• un lavabo ....
• una mesilla ....

d Completa las frases con el verbo más adecuado.

amueblar, construir, colgar, diseñar

1. Tengo que .... los cuadros en la pared del salón.
2. Sus amigos quieren .... una casa en ese lugar.
3. Vamos a .... la casa porque está vacía.
4. Mi hermano es arquitecto, él .... su propia casa.

e Relaciona la palabra con su definición.

1. cemento   a. Elevador para subir a un piso.
2. ascensor   b. Alfombra que cubre todo el suelo.
3. tiesto   c. Cuarto donde se almacenan cosas que no se usan.
4. vivienda   d. Maceta, recipiente donde se crían plantas.
5. moqueta   e. Ángulo donde se juntan dos paredes.
6. trastero   f. Material de construcción.
7. rincón   g. Lugar para habitar.

ejercicios

f Escribe una frase con los siguientes grupos de palabras.

• ascensor / escalera / romperse

....

• parque / dar / habitaciones

....

• diseñar / piso / caro

....

• despacho / casa / construir

....

• jardín / terraza / apartamento

....

• cortina / persiana / poner

....

• cemento / material / pared

....

expresionario

Referente a la vivienda decimos, por ejemplo:

Es unifamiliar. ◄► Es una casa de pisos.
Es comprada. ◄► Es alquilada.
Es modesta. ◄► Es de lujo.
Es exterior = da a la calle. ◄► Es interior = no da a la calle.
Está bien distribuida. ◄► Está mal distribuida.

¿Qué expresión o expresiones podrías utilizar?

Está en la habitación de un hotel desde cuya ventana se ve la avenida principal. Su habitación...

¿Puedes explicar el sentido del refrán "Casa con dos puertas, mala de guardar"?

....
....
....
....

¡vamos a hablar!

Menciona los utensilios y muebles que hay en tu cocina.

¿Vives en una casa o en un piso? ¿Cómo es?

Quieres amueblar tu casa, ¿qué muebles pondrías en cada habitación?

Describe tu habitación. ¿Es exterior o interior? ¿Qué muebles tienes en ella?

¿Prefieres vivir en un piso en el centro de la ciudad o en una casa a las afueras? ¿Qué ventajas o desventajas existen?

¿Qué parte de la casa te parece más importante? ¿Por qué?

¿Has visitado o conoces la casa de alguna persona famosa? ¿Cómo era?

Describe cómo son las casas de tres ciudades diferentes.

¿Has estado en algún hotel de lujo? ¿Cómo era la habitación? ¿Y el cuarto de baño?

En el lugar donde vives actualmente, ¿qué partes utilizas más? ¿A qué se debe?

situaciones

 Estás en un concurso de T.V. a punto de ganar "la casa de tus sueños". Descríbela.

 Invitas a un amigo a tu casa y debes preparar su habitación. ¿Qué cosas necesitas poner u ordenar?

 Quieres reservar por teléfono una habitación en un hotel que no conoces. ¿Qué le preguntas al recepcionista?

 Te regalan una casa que tiene 50 años y quieres vivir en ella. ¿Qué haces? Describe cómo es ahora y cómo será después.

a. De los muebles que aparecen en esta publicidad, di los que elegirías para tu casa y el lugar en donde los pondrías.

ÅBO

es una serie elaborada en pino macizo. Todos los muebles que mostramos aquí tienen un acabado patinado fácil de mantener. Diseñado para vivir, hecho para durar y con un amplio marco de opciones.

❷ ÅBO mesa pedestal ovalada que incluye una hoja adicional de 47 cm. 160/207×105, Al 73 cm **69.950**

❷ ÅBO mesa ovalada
69.950

❸

ÅBO silla
10.950

❸ ÅBO mesa abatible para montar en la pared. Genial si hay poco sitio. 103×68 cm **13.950**

ÅBO silla diseñada por Per Ivar Ledang, con asiento tapizado y VALDA funda de algodón.45×48, altura del asiento 47 cm **13.500**

❶ ÅBO aparador para guardar y exhibir objetos. 136×39, Al 186 cm **59.900**

b. ¿Qué vivienda te comprarías? ¿Por qué?

capítulo 7

La música

léxico ¿Cómo se dice en tu lengua?

SUSTANTIVOS

acompañamiento (el) ....

acorde (el) ....

acordeón (el) ....

álbum (el) ....

altavoz (el)
....
   Arg. **parlante (el)**

amplificador (el) ....

armonía (la) ....

armónica (la) ....

arpa (el) ....

auditorio (el) ....

auriculares [1] (los) ....

baile (el) ....

bajo (el) ....

ballet (el) ....

barítono (el) ....

batería (la) ....

batuta (la) ....

canción (la) ....

cantante (el/la) ....

canto (el) ....

cascos (los), auriculares (los)
....
   Arg./Méx. **auriculares**

[1] Véase *cascos.*

léxico

casete (el) ....

casete (la)
Méx. **casete (el)** ....

castañuelas (las) ....

CD (el), compacto (el)
Arg./Méx. **CD [2]** ....

clarinete (el) ....

clave (la) ....

compás (el) ....

compositor/-a (el/la) ....

concierto (el) ....

conservatorio (el) ....

contrabajo (el) ....

coro (el) ....

cuarteto (el) ....

cuerda (la) ....

director/-a de orquesta
(el/la) ....

disco (el) ....

dúo (el) ....

emisión (la) ....

ensayo (el) ....

equipo de música (el),
cadena de música (la) ....

escenario (el) ....

estribillo (el) ....

flamenco (el) ....

flauta (la) ....

gira (la) ....

grabación (la) ....

grupo (el) ....

guitarra (la) ....

[2] En México se pronuncia "cidi".

instrumento (el) ....

maracas (las) ....

melodía (la) ....

micrófono (el) ....

música de cámara (la) ....

nota (la) ....

oboe (el) ....

ópera (la) ....

órgano (el) ....

orquesta (la) ....

pandereta (la) ....

partitura (la) ....

pentagrama (el) ....

piano (el) ....

platillos (los) ....

quinteto (el) ....

recital (el) ....

repertorio (el) ....

ritmo (el) ....

sala sinfónica (la)
Arg. **sala de conciertos (la)** ....

serenata (la) ....

sinfonía (la) ....

solista (la) ....

sonido (el) ....

soprano (la) ....

tambor (el) ....

teatro (el) ....

teclado (el) ....

teclas (las) ....

tenor (el) ....

tocadiscos (el) ....

tono (el) ....

trombón (el) ....

trompeta (la) ....

villancico (el) ....

viola (la) ....

violín (el) ....

violonchelo [3] (el) ....

voz (la) ....

xilófono [4] (el) ....

zarzuela (la) ....

ADJETIVOS

afinado/a ....

agudo/a ....

alto/a ....

armónico/a ....

bajo/a ....

clásico/a ....

desafinado/a ....

desentonado/a ....

estridente ....

folclórico/a [5] ....

grave ....

instrumental ....

lento/a ....

melodioso/a ....

moderno/a ....

musical ....

pop ....

popular ....

rápido/a ....

rítmico/a ....

sentimental ....

sinfónico/a ....

sonoro/a ....

VERBOS

acompañar ....

afinar ....

amplificar ....

aplaudir ....

bailar ....

bajar (volumen) ....

cantar ....

componer ....

desafinar ....

desentonar ....

dirigir ....

entonar ....

grabar ....

insonorizar ....

interpretar ....

rebobinar ....

silbar ....

sonar ....

subir (volumen) ....

tararear ....

tocar ....

[3] También se escribe "violoncelo".
[4] Esta forma alterna con "xilofón", que es la más empleada en Argentina.
[5] También se encuentra "folklórico".

ejercicios

a Entre las palabras del vocabulario señala tres instrumentos de cuerda, tres de viento, tres de percusión y tres términos relacionados con un equipo de música.

....

....

....

b Relaciona cada país con un tipo de música.

1. España	a. el tango
2. México	b. el jazz
3. Austria	c. el flamenco
4. Estados Unidos	d. los corridos
5. Argentina	e. los coros

c Completa las siguientes frases con el verbo que corresponde.

tocar, grabar, aplaudir, interpretar, afinar

1. Los Beatles .... más de treinta discos.
2. Antes de empezar el concierto los músicos .... sus instrumentos.
3. Mi hermano .... el piano y la flauta.
4. Después de la actuación, el público .... durante más de cinco minutos.
5. La orquesta .... la Sinfonía nº 1 de Beethoven.

d Di palabras de la familia de:

- grabar   ....   • ensayar   ....
- melodía   ....   • actuación   ....
- instrumento   ....   • componer   ....
- disco   ....   • arte   ....
- ritmo   ....   • música   ....

e Escoge la palabra más adecuada para completar la frase.

teclas, escenario, partitura, compositor, micrófono, violín, festival, zapateo, solista, coro

1. El director de orquesta no podía dirigir porque le faltaba la ....
2. El lugar donde un cantante actúa es el ....

3. El .... es una característica del baile flamenco.

4. La persona que escribe la música es el ....

5. El acordeón y el piano son instrumentos que tienen ....

6. Para que a un cantante se le oiga bien debe utilizar ....

7. El .... es un instrumento de cuerda.

8. Es un concierto para piano y orquesta. El .... es Henry Smith.

9. Un espectáculo en que hay diferentes cantantes o grupos se denomina ....

10. Un conjunto de personas que cantan con diferentes voces se llama ....

f ¿De qué instrumento se trata? Sólo faltan consonantes. Todos ellos están en el vocabulario.

_a_ _e_e_a	Acompaña los villancicos.
ó_ _a_o	Es frecuente verlo en las iglesias.
a_ _a	Instrumento de cuerda.
_ _o_ _e_a	Instrumento de viento.
a_o_ _eó_	Tiene teclas pero no es ni el piano ni el órgano.
_a_ _a_ue_a_	Acompaña canciones y bailes españoles.

expresionario

👄 **¿Qué quieren decir estas expresiones?**

- Hacer gallos.
- Perder el ritmo = Perder el compás.
- Llevar la voz cantante.

👄 **Las palabras "gallo" y "música" están relacionadas. ¿Sabes qué quiere decir "en menos que canta un gallo"?**

👄 **¿Se dice también en tu idioma que "la música amansa a las fieras"?**

👄 **¿Qué te estarán dando a entender si te dicen que "pareces un disco rayado"?**

👄 **¿Conoces la expresión "tocar la flauta por casualidad"? ¿Sabes su origen?**

¡vamos a hablar!

¿Qué tipo de música te gusta? ¿Prefieres la música clásica o la moderna?

¿Qué crees que es más importante, la música o las letras de las canciones?

¿Cuál es tu cantante favorito?

¿Conoces a algún cantante español o latinoamericano? ¿Crees que canta bien o mal?

¿Qué piensas de grupos tan famosos como los Beatles, los Rolling Stones, los Bee Gees, las Spice Girls, etc.? ¿Por qué han tenido tanta fama?

¿Qué discos tienes en tu casa? ¿Compras discos a menudo?

Cuando vas a oír música a un bar, ¿qué tipo de música prefieres: jazz, blues, melódica, rock, etc.? ¿Por qué?

¿Sabes tocar algún instrumento? ¿Cuál? ¿Practicas frecuentemente?

¿Cuál es tu orquesta favorita? ¿Por qué? ¿Dónde la has oído tocar?

¿Crees que hay ahora un interés popular por la ópera? ¿Cómo lo explicas?

¿Qué es más importante: un buen director o una buena orquesta? ¿Has ido recientemente a algún concierto? ¿Qué oíste?

situaciones

• Tienes la posibilidad de ir a un concierto inolvidable. Haz tu elección y justifícala.

• Sabes tocar algún instrumento y en una fiesta te dicen que toques. ¿Qué harías? ¿Qué pieza escogerías?

• Has ido a escuchar un concierto de música rock y ha sido un desastre, sin embargo tu entrada te costó mucho dinero. ¿Cómo reaccionas?

• Debes comprar un disco como regalo para un amigo, ¿qué tipo de música elegirás? ¿Qué cantante o conjunto?

comprueba lo que sabes

Tu mejor amigo te regala dos entradas para uno de estos conciertos o recital, ¿por cuál te decides? Justifica tu respuesta. Si no te gusta ninguna de las opciones, explica a tu amigo lo que te gustaría escuchar.

ALBERT GUINOVART
Estreno con la OBC

Con la Sinfónica de Barcelona dirigida por Lawrence Foster, el compositor y pianista catalán estrena su *Concierto para clarinete* el día 24 de marzo en el Auditorio barcelonés, con Larry Pasin como solista, y toca la parte pianística de la *Sinfonía nº 2* de Bernstein.

GLORIA ISABEL RAMOS
Guinjoan sinfónico

Dirige la Orquesta de Córdoba el día 23 de marzo en el Gran Teatro de Sevilla en un programa que incluye una partitura de Joan Guinjoan, *Pantonal*, el *Concierto para violonchelo nº 1* de Saint–Saëns, con Damián Martínez, y dos *suites* de *Peer Gynt*, de Grieg.

TOMATITO
Flamenco y jazz

Sus sonidos flamencos se entrelazan con los ritmos de jazz de Michael Camilo en un concierto en el que presentan el álbum *Spain,* que han grabado juntos. Los dos guitarristas estarán en el teatro Lope de Vega de Sevilla el día 25 de marzo.

capítulo 8

El coche

léxico ¿Cómo se dice en tu lengua?

SUSTANTIVOS

accidente (el) ....

aceite (el) ....

acelerador (el) ....

acompañante (el/la) ....

airbag (el)
  Méx. **bolsa de aire (la)** ....

aire acondicionado (el) ....

amortiguadores (los) ....

aparcamiento (el)
  Arg./Méx. **estacionamiento (el)** ....

asientos (los) ....

atasco (el),
embotellamiento (el) ....
  Arg./Méx. **embotellamiento**

automóvil (el) ....

autopista (la) ....

autovía (la)
  Arg./Méx. **autopista (la)** ....

baca (la)
  Arg. **portaequipaje (el)** ....

batería (la) ....

bujías (las) ....

cadenas (las) ....

calefacción (la) ....

capacidad (la) ....

capó (el) ....

caravana (la) ....

carburador (el) ....

carné de conducir (el)

Méx. **licencia de manejo (la)** ....

carretera (la)

Arg. **ruta (la)** ....

carrocería (la) ....

cinturón de seguridad (el) ....

circuito del agua (el) ....

claxon (el)

Arg. **bocina (la)** ....

combustible (el)

conductor/-a (el/la)

Méx. **conductor, chófer (el)** ....

consumo (el) ....

correa del ventilador (la)

Méx. **banda del ventilador (la)** ....

cuentakilómetros (el) ....

curva (la) ....

depósito de gasolina (el)

Arg. **tanque de nafta (el)** ....

Méx. **tanque de la gasolina (la)**

destornillador (el)

Méx. **desarmador (el)** ....

dirección (la) ....

dirección asistida (la) ....

Arg. **dirección hidráulica (la)**

embotellamiento [1] ....

embrague (el) ....

espejos (los) ....

faros (los) ....

freno (el) ....

gasolina (la)

Arg. **nafta (la)** ....

gasolinera (la)

Arg. **estación de servicio (la)** ....

Méx. **gasolinera, gasolinería (la)**

gato (el) ....

guantera (la) ....

guardia de tráfico (el/la)

Arg. **guardia de tránsito (el)** ....

Méx. **agente de tránsito (el)**

herramientas (las) ....

humo (el) ....

intermitentes (los)

Arg. **guiños (los)** ....

lata (la) ....

limpiaparabrisas (el) ....

llave inglesa (la) ....

lubricante (el). ....

maletero (el)

Arg. **baúl (el)** ....

Méx. **cajuela (la)**

[1] Véase atasco.

léxico

marchas (las) ....

matrícula (la) ....
> Arg. *patente (la)*

motor (el) ....

multa (la) ....

neumático (el) ....
> Arg. *cubierta (la), neumático*
> Méx. *llanta (la)*

palanca de cambios (la) ....
> Méx. *palanca de velocidades (la)*

parabrisas (el) ....

parachoques (el) ....
> Arg. *paragolpes (el)*
> Méx. *defensa (la)*

parada (la) ....

parasol (el) ....

peaje (el) ....

pinchazo (el) ....
> Arg. *pinchadura (la)*
> Méx. *ponchada (la)*

puerta (la) ....

punto muerto (el) ....

radiador (el) ....

recambio (el), repuesto (el) ....
> Arg. / Méx. *repuesto*

recta (la) ....

remolque (el) ....

repuesto [2] ....

[2] Véase *recambio*.

retrovisor (el) ....

rueda (la) ....

rueda de repuesto (la) ....
> Arg. *rueda de auxilio (la)*
> Méx. *llanta de refacción (la)*

salpicadero (el) ....
> Arg. *guardabarros (el)*
> Méx. *salpicadera (la)*

seguro (el) ....

semáforo (el) ....

suspensión (la) ....

tapa (la) ....

tapicería (la) ....

tornillos (los) ....

tráfico (el) ....
> Arg. *tránsito (el)*

tubo de escape (el) ....
> Arg. *caña de escape (el)*

túnel (el) ....

velocidad (la) ....

ventanilla (la) ....

volante (el) ....

ADJETIVOS

abatible ....
> Arg. *rebatible*

automático/a ....

confortable ....

de segunda mano ....

deportivo/a ....

descapotable

  Arg/Méx. **convertible** ....

eléctrico/a ....

espacioso/a ....

imprudente ....

incómodo/a ....

lento/a ....

manejable ....

nuevo/a ....

peligroso/a ....

pinchado/a (neumático)

  Méx. **ponchada (rueda, llanta)** ....

prudente ....

rápido/a ....

regulable ....

VERBOS

acelerar ....

adelantar ....

aparcar

  Arg. **estacionar**

  Méx. **estacionar(se)** ....

arrancar, poner en marcha ....

atropellar ....

calarse

  Arg./Méx. **parar(se)** ....

cambiar ....

ceder el paso ....

chocar ....

conducir ....

consumir ....

dar marcha atrás ....

derrapar ....

desinflar ....

desmontar ....

detener(se), parar(se) ....

echar gasolina

  Arg. **cargar nafta** ....

engrasar ....

frenar ....

girar ....

inflar ....

multar/poner una multa ....

pararse [3] ....

pinchar

  Méx. **ponchar** ....

poner en marcha [4] ....

prohibir ....

reducir la marcha ....

remolcar ....

reparar ....

velocidad ....

[3] Véase *detenerse*. Véase *calarse* en Arg. y Méx.
[4] Véase *arrancar*.

ejercicios

Indica cinco piezas relacionadas con el funcionamiento del coche, tres elementos exteriores, tres interiores, tres herramientas y dos verbos que tengan relación con la conducción.

....	....	....	....
....	....	....	....
....	....	....	....
....	....	....	....

b

a. Encuentra la palabra más apropiada para completar la frase.

1. semáforo	a. Coloca la bicicleta en la ....
2. chocar	b. Es muy buen .... ; entiende mucho de coches.
3. limpiaparabrisas	c. ¿Lleva bujías de ....?
4. repuesto	d. Si giramos vamos a ....
5. mecánico	e. Lleva los cristales sucios, ¿por qué no pone el ....?
6. baca	f. Nos han puesto una multa por saltarnos un ....

b. ¿Sabes decirlo de otro modo?

- chófer   ....
- propietario   ....
- girar   ....
- neumático   ....
- claxon   ....
- detenerse   ....

c

Escoge de la columna de la derecha un antónimo para cada palabra y escribe frases con ellas.

acelerar	....	lentitud	....
quitar	....	parar	....
abrochar	....	arreglar	....
estropear	....	frenar	....
vacío	....	desabrochar	....
rapidez	....	lleno	....
arrancar	....	poner	....

d

Hay dos verbos que no están relacionados con los automóviles, ¿cuáles son?

conducir, cambiar, arreglar, aparcar, dividir, pinchar, revisar, desinflar, engrasar, anunciar, derrapar

ejercicios

e

a. Describe la situación en que dirías las siguientes frases.

- Se ha pinchado una rueda.
- Tengo que revisar el nivel de aceite.
- Voy a poner el coche a punto.

b. Cuando se trata de seguridad, ¿qué quiere decir "seguro a todo riesgo" y "daños a terceros"?

f

¿Es verdadero o falso?

	V	F
1. El cristal delantero del coche se llama parabrisas.	....	....
2. El gato sirve para levantar el coche.	....	....
3. El cuentakilómetros mide la temperatura.	....	....
4. El retrovisor sirve para observar si vienen coches por detrás.	....	....
5. El intermitente indica el nivel del aceite.	....	....
6. En las autopistas nunca se paga el peaje.	....	....
7. Con el hielo los coches pueden derrapar.	....	....

expresionario

Pinchar

- ¿Qué tal las clases?
+ Regular. He pinchado en el examen de matemáticas.

Dar marcha atrás

- Me ofrecieron dos trabajos. Cuando acepté uno me arrepentí y di marcha atrás.

Fallar la carrocería

- Ya me empieza a fallar la carrocería: no puedo ni subir las escaleras.

Frenar

- Hace dos meses conocí a Lola. Le voy a proponer que se case conmigo.
+ ¡Qué rápido! Frena, frena.

¿Hay en tu idioma expresiones como estas?

¡vamos a hablar!

¿Tienes coche? ¿Qué coche es? ¿Es nuevo o de segunda mano?

¿Te gusta conducir? ¿Has hecho algún viaje en coche? ¿Tienes carné de conducir?

¿Prefieres los coches grandes o pequeños?

¿Cuál es tu coche favorito? ¿Por qué?

¿Se ha estropeado alguna vez tu coche? ¿Cuál era el problema?

¿Te han puesto alguna multa? ¿Por qué?

¿Llevas tu coche al taller frecuentemente? ¿Para qué?

¿Sabes reparar algunas cosas en tu coche? ¿Cuáles?

¿Cómo es el tráfico en las ciudades que conoces? Descríbelo.

En la ciudad donde vives, ¿hay problemas de aparcamiento? ¿Dónde sueles aparcar generalmente el coche?

¿Qué métodos conoces o se te ocurren para mejorar el tráfico en las ciudades?

situaciones

 Necesitas un coche nuevo y vas a ver modelos a una distribuidora de automóviles. Describe lo que buscas.

 Vas a hacer un largo viaje y debes preparar el coche. ¿Qué cosas haces?

 Vas por la autopista a toda velocidad y te das cuenta de que el freno no funciona. ¿Cómo resuelves la situación?

 Se te ha pinchado una rueda. Menciona todo lo que haces para poner la rueda de repuesto.

 Tu coche necesita una revisión a fondo que resulta muy cara: plantea a tu padre o a otra persona que te hace falta una ayuda económica.

comprueba lo que sabes

a. ¿Con cuál de estos dos coches te quedarías?

b. ¿Qué características son fundamentales en tu decisión?

c. Con la ayuda de estos anuncios, haz una lista de cualidades que buscas en un coche por orden de importancia.

El mismo concepto de espacio pero con dos formas diferentes. Para que puedas elegir la que más va con tu estilo de vida. Seguro que lo tienes claro, ¿o no? ¿Cuadrado o redondo? ¿Atos o Atos Prime? Motor 1.0 de 55cv, 5 puertas, dirección asistida, cierre centralizado, elevalunas eléctrico, barras de protección lateral y airbag de conductor. Hyundai Atos desde 1.200.000 ptas. (7.212,15 euros).

Atos y nuevo Atos Prime

El espacio tiene formas diferentes, ¿cuál quieres conducir?

capítulo 9

Las profesiones

léxico ¿Cómo se dice en tu lengua?

SUSTANTIVOS

abogado/a (el/la)

....

actor (el)

....

actriz (la)

....

administrativo/a (el/la)

....

agricultor/-a (el/la)

....

albañil (el/la)

....

alcalde/-sa (el/la)

Arg. **intendente (el)**   ....

Méx. **delegado (el)**

ama de casa (el)

....

aparejador/-a (el/la)

....

aprendiz (el/la)

....

aprendiza [1] (la)

....

árbitro (el/la)

....

arquitecto/a (el/la)

....

artista (el/la)

....

asesor/-a (el/la)

....

asistenta (la)

Arg. **empleada doméstica (la)**   ....

Méx. **ayudante, asistente (el/la)**

asistente (el/la)

....

Arg. **ayudante (el/la)**

[1] Término, ya un poco en desuso, que se emplea en el ámbito de la confección.

léxico

astronauta (el/la) ....

auxiliar de vuelo (el/la) ....

azafata (la) ....

bailarín/-a (el/la) ....

banquero/a (el/la) ....

barrendero/a (el/la) ....

bedel/-a (el/la) ....
Méx. **prefecto/a (el/la)**

bombero/a (el/la) ....

cajero/a (el/la) ....

camarero/a (el/la) ....
Arg. **mozo/a (el/la)**

cantante (el/la) ....

carnicero/a (el/la) ....

carpintero/a (el/la) ....

cartero/a (el/la) ....

cerrajero/a (el/la) ....

ciclista (el/la) ....

cobrador/-a (el/la) ....

cocinero/a (el/la) ....

conductor/-a (el/la) ....

conserje (el/la) ....

constructor/-a (el/la) ....

contrato (el) ....

currículum (el) ....

dependiente/a (el/la) ....
Arg. **empleado/a (el/la)**

desempleo [2] (el) ....

director/-a (el/la) ....

editor/-a (el/la) ....

electricista (el/la) ....

empleado/a [3] (el/la) ....

empresario/a (el/la) ....

enfermero/a (el/la) ....

entrenador/-a (el/la) ....

entrevista (la) ....

escritor/-a (el/la) ....

escultor/-a (el/la) ....

experiencia (la) ....

fabricante (el/la) ....

farmacéutico/a (el/la) ....

fiscal (el/la) ....

fontanero/a (el/la) ....
Arg. **plomero (el)** ....
Méx. **plomero, fontanero**

fotógrafo/a (el/la) ....

frutero/a (el/la) ....
Arg. **verdulero/a (el/la)**

gimnasta (el/la) ....

guardaespaldas (el/la) ....

guardia (el/la) ....

ingeniero/a (el/la) ....

inspector/-a (el/la) ....

intérprete (el/la) ....

jardinero/a (el/la) ....

joyero/a (el/la) ....

[2] Veáse *paro*.

[3] Veáse *dependiente* en Arg.

léxico

juez/-a (el/la) ....

librero/a (el/la) ....

limpiador/-a (el/la) ....

locutor/-a (el/la) ....

maestro/a (el/la) ....

maquetista (el/la) ....

mecánico/a (el/la) ....

médico (el/la) ....

militar (el) ....

minero/a (el/la) ....

modelo (el/la) ....

modisto/a (el/la) ....

músico/a (el/la) ....

notario/a (el/la) ....

oposición (la)
> *Arg.* **concurso (el)** ....

panadero/a (el/la) ....

paro (el), desempleo (el)
> *Arg.* **desempleo,**
> **desocupación (la)** ....
>
> *Méx.* **desempleo**

pastelero/a (el/la) ....

payaso/a (el/la) ....

peluquero/a (el/la) ....

periodista (el/la) ....

pescadero/a (el/la) ....

pescador/-a (el/la) ....

piloto (el/la) ....

pintor/-a (el/la) ....

policía (el/la) ....

político/a (el/la) ....

portero/a (el/la) ....

presentador/-a (el/la)
> *Arg.* **animador/-a (el/la),**
> **conductor/-a (el/la)** ....
>
> *Méx.* **conductor/-a**

productor/-a (el/la) ....

profesor/-a (el/la) ....

psicólogo/a (el/la) ....

publicista (el/la) ....

recepcionista (el/la) ....

relojero/a (el/la) ....

repartidor/-a (el/la) ....

representante (el/la) ....

salario [4] (el) ....

secretario/a (el/la) ....

sindicato (el) ....

socorrista (el/la)
> *Arg.* **bañero (el)** ....

sueldo (el), salario (el) ....

taxista (el/la) ....

telefonista (el/la) ....

tendero/a (el/la) ....

torero/a (el/la) ....

trabajador/-a (el/la) ....

vendedor/-a (el/la) ....

veterinario/a (el/la) ....

vigilante (el/la) ....

zapatero/a (el/la) ....

[4] Veáse *sueldo*.

ADJETIVOS

activo/a ....

arriesgado/a ....

artístico/a ....

autónomo/a ....

capacitado/a ....

divertido/a ....

estético/a ....

independiente ....

intelectual ....

manual ....

mecánico/a ....

original ....

pasivo/a ....

perjudicial ....

relajado/a ....

seguro/a ....

sencillo/a ....

trabajador/-a ....

tranquilo/a ....

ventajoso ....

VERBOS

actuar ....

acusar ....

asesorar ....

barrer ....

cocinar ....

conducir

confeccionar ....

construir [5] ....

contratar ....

cortar ....

coser ....

defender ....

despachar ....

despedir ....

dibujar ....

dirigir ....

edificar

   Arg. *construir, edificar* ....

   Méx. *construir*

editar ....

ensayar ....

enseñar ....

entrenar ....

entrevistar ....

escribir ....

estar en paro

   Arg. *estar desocupado/a* ....

   Méx. *estar desempleado/a*

filmar ....

fotografiar ....

ganar ....

hacer (una entrevista, oposiciones) ....

interpretar ....

jubilarse ....

labrar ....

pintar ....

traducir ....

vender ....

[5] Veáse *edificar* en Arg. y Méx.

ejercicios

a

De las palabras del vocabulario escoge cinco profesiones que exigen estudios universitarios, cinco profesiones manuales y tres profesiones arriesgadas.

....

....

....

....

....

b

¿Con qué profesiones relacionas estas palabras?

1. Secretaria   a. la brocha
2. Bombero   b. la llave inglesa
3. Guardia   c. el dedal
4. Pintor   d. el peine
5. Campesino   e. el ordenador
6. Peluquero   f. la manguera
7. Modisto   g. el silbato
8. Mecánico   h. el tractor

c

Completa las siguientes frases con el verbo más apropiado.

contratar, cultivar, repartir, dirigir, atender

1. El cartero .... las cartas en todos los buzones.
2. Este año los campesinos .... demasiadas patatas.
3. El director .... a tres nuevos empleados.
4. Un buen dependiente debe .... muy bien a los clientes.
5. Además del semáforo, hay un guardia que .... el tráfico.

d

Escribe una frase con los siguientes pares de palabras.

- Psicólogo / empleado   ....
- Actor / periodista   ....
- Juicio / abogado   ....
- Repartir / correo   ....
- Riesgo / oficio   ....
- Atractivo / desagradable   ....

ejercicios

e Escoge la palabra más adecuada para completar la frase.

> *candidato, contabilidad, entrevista, presupuesto, público*
> *informes, sueldo, audiencia, payaso*

1. La persona que hace reír a los niños es un ....
2. Ese trabajo me gusta pero ofrecen un .... muy pequeño.
3. El juez concedió una .... al acusado.
4. Para conseguir ese puesto se necesitan muy buenos ....
5. Antes de encargar un trabajo al fontanero le pediré un ....
6. Es estudiante de económicas y por eso lleva la .... de esa empresa.
7. El director realizó una .... a todos los que solicitaron el empleo.
8. El cantante se alegró de ver a tanto ....
9. El vicepresidente del gobierno es el mejor .... para la presidencia.

f ¿De qué profesión se trata? Sólo faltan consonantes.

_ o _ _ a _ e _ o	Arregla y cambia los grifos.
_ o _ u _ o _	Trabaja en la televisión o en la radio.
a _ _ a _ i _	Trabaja en la construcción.
_ ua _ _ ae _ _ a _ _ a _	Siempre va con otra persona.
a _ _ _ o _ au _ a	Va al espacio.

expresionario

🗨 Explica el significado de las siguientes expresiones y menciona tres ejemplos donde las utilices.

- Zapatero, a tus zapatos.
- En casa del herrero, cuchillo de palo.
- Cada maestrillo tiene su librillo.

🗨 El cliente siempre tiene la razón. ¿En qué contexto lo dices?

🗨 Escoge, entre las dos opciones, las frases con el significado correcto.

1. Estuvo un año **en paro**.
   a. Que estuvo quieto.
   b. Que no tenía trabajo.

2. Todos se quejan de que **el sueldo no llega**.
   a. No mandan el sueldo por correo.
   b. El dinero no es suficiente para vivir.

3. Es un problema de **economía sumergida**.
   a. Un asunto relacionado con el mundo acuático.
   b. Se trata de un negocio no declarado legalmente.

¡vamos a hablar!

¿Qué estás estudiando o cuál es tu profesión? ¿Te gusta?

¿Has trabajado alguna vez? ¿Trabajas ahora? ¿Qué debes hacer si no tienes trabajo?

¿Qué tipo de profesiones prefieres: manuales o intelectuales? ¿Por qué?

¿Qué factores te parecen más importantes al escoger una profesión?

Describe la profesión de los diferentes miembros de tu familia.

¿Qué profesiones te parecen arriesgadas? Explica tus respuestas.

Sin tener en cuenta el dinero, ¿qué profesión te gusta más?

¿Es importante la opinión de los padres en el momento de escoger una profesión? Explica tu respuesta.

¿Hay alguna profesión que no te gustaría desempeñar nunca? ¿Por qué?

situaciones

 • Has terminado tus estudios secundarios y debes escoger: ser o no ser... enfermera, veterinario, periodista, etc. Decídete por una y razona por qué.

 • La niña está durmiendo en su cuna y sus padres hablan de lo que podrá llegar a ser en el futuro. Cuéntanos qué dice la madre y qué dice el padre.

 • Quieres conseguir un trabajo de secretaria en una empresa muy importante. ¿Qué le dices al director?

 • Buscas un carpintero para hacer los armarios de tu casa. ¿Qué preguntas le haces?

 • Explica a los empleados de tu empresa el recorte de salarios que tienes que llevar a cabo.

comprueba lo que sabes

Eres director de varias empresas y necesitas contratar a un arquitecto, a una azafata, a un jefe de publicaciones y a un director de periódico. Con la ayuda de estos anuncios, escribe tú otros poniendo tus propias condiciones.

capítulo 10

Los viajes

léxico ¿Cómo se dice en tu lengua?

SUSTANTIVOS

aduana (la) ....

aeropuerto (el) ....

agencia de viajes (la) ....

andén (el) ....

asiento (el) ....

aterrizaje (el) ....

autobús (el)
  Arg. **colectivo(el),**
  ómnibus (el), micro (el) ....
  Méx. **camión, autobús**

avión (el) ....

barco (el) ....

bicicleta (la) ....

billete (el)
  Arg. **pasaje (el), boleto (el)** ....
  Méx. **boleto**

bolsa de mano (la) ....
  Arg. **bolso de mano (el)**

bote salvavidas (el) ....

botones (el) ....

camarote (el) ....

cambio (el) ....

camping (el) ....
  Méx. **campamento (el)**

capitán/capitana (el/la) ....

caravana (la) ....

carrito (el) ....

chaleco salvavidas (el) ....

coche cama (el) ....

comandante (el/la) ....

compañía aérea (la) ....
Méx. **línea aérea (la)**

consigna (la) ....
Arg./Méx. **guardaequipajes (el)**

control (el) ....

crucero (el) ....

desembarque (el) ....

despegue (el) ....

divisas (las) ....

embarque (el) ....

equipaje (el) ....

escala (la) ....

estación (la) ....

facturación (la) ....
Méx. **documentación (la)**

ferrocarril (el) ....

frontera (la) ....

guía (= libro) (la) ....

guía (el/la) ....

horario (el) ....

hotel (el) ....

impuesto (el) ....

información (la) ....

intérprete (el/la) ....

itinerario (el) ....

línea (la) ....

litera (la) ....

maleta (la) ....
Arg. **valija (la)**

mapa (el) ....

máquina de fotos (la),
cámara (de fotos) (la) ....
Méx. **cámara fotográfica (la)**

mostrador (el) ....

moto (la) ....

muelle (el) ....

parada (la) ....

pasajero/a (el/la) ....

pasillo (el) ....

paso a nivel (el) ....
Méx. **paso a desnivel (el)**

pensión (la) ....

periódico (el) ....
Arg. **diario (el)**

pista (la) ....

postal (la) ....
Méx. **tarjeta postal (la)**

prensa (la) ....

puerta de embarque (la) ....

recepción (la) ....

recepcionista (el/la) ....

reclamación (la) ....
Arg. **reclamo (el)**

recorrido (el) ....

reserva (la) ....

retraso (el) ....

revisor/-a (el/la) ....
Arg. **guarda (el),
inspector (el)**

revista (la) ....

saco de dormir (el) ....
Arg. **bolsa de dormir (la)**
Méx. **sleeping (el)**

sala de espera (la) ....

salida (la) ....

salvavidas (el) ....

sobrepeso (el) ....

taquilla (la) ....
Arg./Méx. **ventanilla (la)**

tienda de campaña (la) ....
  Arg. carpa (la)

torre de control (la) ....

transbordador (el) ....

trayecto (el) ....

tren (el) ....

tripulación (la) ....

turbulencia (la) ....

vagón (el) ....

velocidad (la) ....

ventana (la) ....

ventanilla [1] (la) ....

vía (la) ....

visado (el) ....

visibilidad (la) ....

vuelo (el) ....

ADJETIVOS

accidentado/a ....

aéreo/a ....

climatizado/a ....
  Méx. con clima artificial

cómodo/a ....

completo/a ....

espacioso/a ....

estrecho/a ....

incómodo/a ....

lento/a ....

lujoso/a ....

modesto/a ....

peligroso/a ....

rápido/a ....

regular ....

reservado/a ....

[1] Veáse *taquilla* en Arg.

seguro/a ....

silencioso/a ....

VERBOS

alojarse ....

aterrizar ....

bajar ....

cancelar ....

cargar ....

coger (avión, tren...) ....
  Arg., Méx. tomar

confirmar ....

declarar ....

descargar ....

descarrilar ....

desembarcar ....

despedir(se) ....

despegar ....

desplazarse ....

embarcar ....

enlazar ....

facturar ....
  Méx. documentar

hacer escala ....

hacer transbordo ....

llegar ....

marear(se) ....

navegar ....

reclamar ....

reservar ....

salir ....

subir ....

viajar ....

visitar ....

volar ....

zarpar ....

ejercicios

a

a. Selecciona tres palabras del vocabulario relacionadas con un viaje en tren, otras tres con un viaje en avión y otras tres con la preparación de un viaje.

....

....

....

b. ¿Con qué dos palabras del vocabulario relacionarías los términos "de ida y vuelta" y "media o completa"?

....

....

b

Añade la preposición más adecuada.

1. Siempre que monto .... tren me mareo.
2. Necesito un billete .... avión para el martes.
3. Viajo .... toda mi familia.
4. La llegada será .... las tres de la tarde.
5. .... ir a EEUU se necesita pasaporte.

c

Relaciona cada palabra con la definición o término correspondiente.

1. folleto	a. Garantía.
2. extranjero	b. Natural del país.
3. paisaje	c. Dinero de un país.
4. costumbre	d. Billete.
5. guía	e. Panorama, vista.
6. seguro	f. Dormitorio de barco.
7. moneda	g. Hábito.
8. pasaje	h. Persona o lugar que no es del país del que se habla.
9. nativo	i. Folleto informativo de pocas páginas.
10. camarote	j. Persona que enseña una ciudad a los turistas.

d

Escribe una frase combinando las siguientes palabras:

- lugar / ciudad / belleza   ....
- camarote / tranquilo / viaje   ....
- costumbre / país / sentimiento   ....
- dinero / cambiar / posibilidad   ....
- avión / agencia / reserva   ....
- monumento / coche / visitar   ....

ejercicios

e Une las palabras de las dos columnas. ¿Qué relación hay entre ellas?

1. preguntar	a. antiguo
2. libre	b. deshabitado
3. perder	c. ocupado
4. montañoso	d. informar
5. moderno	e. continente
6. habitado	f. llano
7. isla	g. encontrar

f Hay un verbo que no está relacionado con los viajes, ¿puedes encontrarlo?

> reservar, facturar, marearse, viajar, desarrollar, confirmar, esperar

expresionario

👄 **¿En qué lugar o lugares oirías estas expresiones?**

- Salir en punto / a la hora.
- Llegar o salir con retraso.
- Llegar antes de tiempo.
- Tener que pagar por exceso de equipaje.
- No tener nada que declarar.

👄 **¿Cuándo te podrían decir que "no por mucho madrugar amanece más temprano"?**

....

👄 **¿Has escuchado el dicho "En martes, ni te cases ni te embarques"? ¿Sabes qué quiere decir?**

....

👄 **El sustantivo "marcha" se emplea en muchas frases hechas y expresiones. ¿Puedes explicar el significado de estas?**

- A toda marcha.
- A marchas forzadas.
- Sobre la marcha.
- Coger la marcha a...

¡vamos a hablar!

¿Te gusta viajar? ¿En qué medio de transporte prefieres viajar? ¿Por qué?

¿Cuando viajas llevas mucho o poco equipaje? ¿Por qué? ¿Qué cosas te parecen necesarias?

¿Has tenido que pagar alguna vez por exceso de equipaje? ¿Cuándo?

¿Te mareas en algún medio de transporte?

¿Adónde te gustaría viajar? ¿Por qué? ¿Cómo harías el viaje?

¿Has tenido algún problema en las aduanas? ¿Por qué?

¿Qué haces cuando tienes que esperar en un aeropuerto?

¿Has estado alguna vez de camping? ¿En dónde? ¿Prefieres ir a hoteles o de camping? ¿Por qué?

Menciona varios lugares de todo el mundo que conoces. ¿Cómo viajaste para ir a ellos?

situaciones

• Viajar es tu pasión, por eso vas a una agencia de viajes para explicar al empleado dónde y cómo quieres viajar. ¿Cuál es tu conversación?

• Vas en tren y te has pasado de estación.
¿Qué haces? ¿Qué respondes cuando te pregunta el revisor?

• En la aduana ven que llevas demasiadas botellas de licor. ¿Qué le dices al agente?

• "Las ventajas de viajar en tren", por ejemplo, es el tema de tu disertación oral. ¡Veamos qué dices!

• Una postal que echaste al buzón en tus vacaciones de verano ha llegado hoy, día de Navidad. Vas a Correos y pides una explicación.

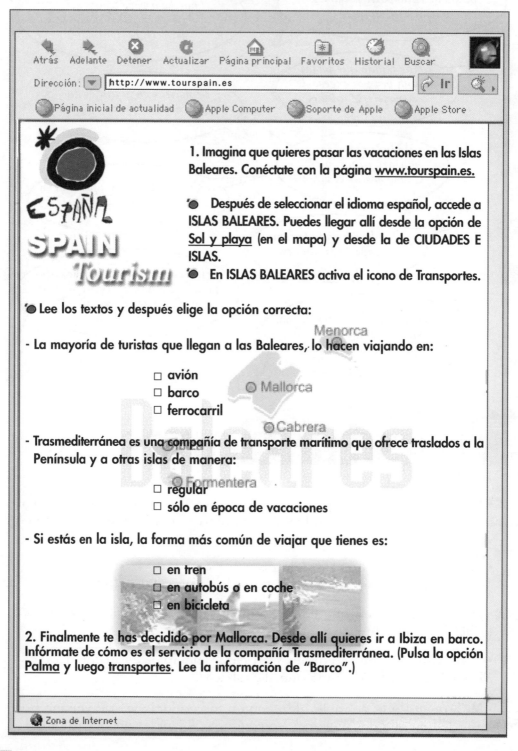

Dirección: http://www.tourspain.es

Página inicial de actualidad · Apple Computer · Soporte de Apple · Apple Store

1. Imagina que quieres pasar las vacaciones en las Islas Baleares. Conéctate con la página <u>www.tourspain.es.</u>

● Después de seleccionar el idioma español, accede a ISLAS BALEARES. Puedes llegar allí desde la opción de <u>Sol y playa</u> (en el mapa) y desde la de CIUDADES E ISLAS.

● En ISLAS BALEARES activa el icono de Transportes.

● Lee los textos y después elige la opción correcta:

- La mayoría de turistas que llegan a las Baleares, lo hacen viajando en:

□ avión
□ barco
□ ferrocarril

- Trasmediterránea es una compañía de transporte marítimo que ofrece traslados a la Península y a otras islas de manera:

□ regular
□ sólo en época de vacaciones

- Si estás en la isla, la forma más común de viajar que tienes es:

□ en tren
□ en autobús o en coche
□ en bicicleta

2. Finalmente te has decidido por Mallorca. Desde allí quieres ir a Ibiza en barco. Infórmate de cómo es el servicio de la compañía Trasmediterránea. (Pulsa la opción <u>Palma</u> y luego <u>transportes</u>. Lee la información de "Barco".)

Zona de Internet

capítulo 11

La ciudad

Subte
Bolívar
Línea E a Plaza de los Virreyes

léxico ¿Cómo se dice en tu lengua?

SUSTANTIVOS

acera (la)
> Arg. **vereda (la)** ....
> Méx. **banqueta (la)**

afueras (las) ....

alcantarilla (la) ....

almacén (el) ....

arco (el) ....

auditorio (el) ....

autobús (el)
> Arg. **colectivo (el),
> ómnibus (el), micro (el)** ....
> Méx. **camión (el)**

avenida (la) ....

ayuntamiento (el) ....
> Arg. **municipalidad (la)**

banco (el) ....

bar [1] (el) ....

barrio (el) ....

biblioteca (la) ....

bloque (el) ....

bolsa (la) ....

buzón (el) ....

cafetería (la) ....
> Arg. **bar / café (el)**

calle [2] (la) ....

callejón (el) ....

calzada (la) ....
> Arg. **calle (la)**

[1] Véase *cafetería* en Arg.
[2] Véase *calzada* en Arg.

léxico

capital (la) ....

carnicería (la) ....

casco antiguo (el) ....

castillo (el) ....

catedral (la) ....

centro (el) ....

centro comercial (el)
Arg. **shopping (el)** ....

cine (el) ....

ciudadano/a (el/la) ....

comisaría (la)
Méx. **delegación de
policía (la)** ....

contaminación (la),
polución (la)
Méx. **contaminación** ....

contenedor (el) ....

cruce (el) ....

cuartel (el) ....

diputación (la)
Arg. **legislatura (la)** ....

droguería (la) ....

edificio (el) ....

escaparate (el)
Arg. **vidriera (la)** ....

estación/parada de metro (la)
Arg. **parada de subte (la)** ....
Méx. **estación de metro**

estadio (el) ....

estanco (el)
Arg. **quiosco (el)** ....
Méx. **estanquillo,
puesto (el)**

estanque (el) ....

farmacia (la) ....

farol (el) ....

farola (la) ....

fuente (la) ....

galería (la) ....

gobierno (el) ....

heladería (la)
Méx. **nevería (la)** ....

iglesia (la) ....

jardín (el) ....

joyería (la) ....

juguetería (la) ....

librería (la) ....

manzana (la) ....

mercado (el) ....

metro (el)
Arg. **subte (el)** ....

ministerio (el) ....

monumento (el) ....

muralla (la) ....

museo (el) ....

oficina de correos (la) ....

palacio (el) ....

panadería (la) ....

papelera (la) ....

papelería (la) ....

parada de autobús (la)
Arg. **parada de
ómnibus (la)** ....

parada de metro [3] (la) ....

parlamento (el) ....

parque (el) ....

paseo (el) ....

paso de cebra (el)
Arg. **senda peatonal (la)** ....
Méx. **puente peatonal (el)**

pastelería (la),
confitería (la)
Arg. **confitería** ....

pavimento (el) ....

[3] Véase *estación de metro.*

peatón (el) ....

peluquería (la) ....

pescadería (la) ....

plaza (la) ....

población (la) ....

polución [4] (la) ....

pueblo (el) ....

puente (el) ....

quiosco [5] (el) ....

rascacielos (el) ....

restaurante (el) ....

semáforo (el) ....

supermercado (el) ....

teatro (el) ....

tienda de ropa (la)
Arg./Méx. **casa de modas (la)** ....

tienda de ultramarinos (la)
Arg. **almacén de barrio (el)** ....

torre (la) ....

tráfico (el)
Arg. **tránsito (el)** ....

turista (el/la) ....

vecino/a (el/la) ....

zapatería (la) ....

ADJETIVOS

amurallado/a ....

antiguo/a ....

autonómico/a
Arg./Méx. **autónomo/a** ....

célebre ....

civil ....

comercial ....

[4] Veáse *contaminación*.
[5] También se escribe "kiosco". Veáse *estanco* en Arg.

concurrido/a ....

funcional ....

gratuito/a ....

histórico/a ....

impresionante ....

industrial ....

moderno/a ....

monumental ....

municipal ....

nacional ....

oficial ....

pintoresco/a ....

privado/a ....

provincial ....

público/a ....

típico/a ....

urbano/a ....

VERBOS

admirar ....

ajardinar
Arg. **parquizar** ....

caminar ....

conocer ....

construir ....

contaminar ....

cruzar ....

indicar ....

informar(se) ....

orientar(se) ....

pasear ....

pavimentar ....

recorrer ....

rodear ....

visitar ....

vivir ....

ejercicios

a

Escoge del vocabulario cinco nombres de tiendas, tres de lugares de recreo y cuatro nombres de objetos que puedes encontrar en las calles.

....

....

....

b

Necesitas comprar las siguientes cosas, ¿dónde las compras? Las palabras adecuadas están en el vocabulario.

1. una revista ....
2. sellos ....
3. una caja de aspirinas ....
4. detergente ....
5. una tarta de cumpleaños ....
6. una pulsera ....

c

Identifica cada palabra con su definición.

1. contaminación	a. Calle ancha.
2. valla	b. Edificio muy alto, de muchos pisos.
3. barrio	c. Calle muy estrecha, a veces sin salida.
4. embotellamiento	d. Lugar por el que andan los peatones en la calle.
5. ruido	e. Parte de una ciudad.
6. avenida	f. Lugar donde se echan las cartas.
7. callejón	g. Pared baja hecha para proteger.
8. buzón	h. Suciedad del aire en la ciudad.
9. acera	i. Sonido no armonioso, molesto.
10. rascacielos	j. Aglomeración de vehículos en un punto.

d

a. Indica el término semejante y haz una frase con una o las dos palabras de cada pareja.

antiguo	suelo
pavimento	viejo
solitario	típico
pintoresco	aislado

ejercicios

b. Ahora escoge el adjetivo más adecuado para completar las frases.

> *industrial, gratuito, concurrido, autonómico, célebre*

1. A las siete de la tarde la avenida principal siempre está ....
2. El aparcamiento es .... en los grandes almacenes.
3. El monumento más .... de nuestra ciudad es la catedral.
4. Con tantas fábricas esta ciudad es demasiado ....
5. Algunos gobiernos .... tienen su propia policía.

¿De qué palabra se trata? Todas ellas se encuentran en el vocabulario.

_ a _ _ a _ a	Lugar por donde circulan los coches.
e _ _ a _ a _ a _ e	Lo tienen casi todas las tiendas.
_ e _ á _ o _ o	Regula la circulación en la ciudad.
_ a _ o _ a	Ilumina la calle.
e _ _ a _ _ o	Lugar donde se compran sellos y tabaco.
_ a _ _ o	Lugar para sentarse.

expresionario

Varias ciudades españolas son objeto de dichos populares. ¿Conoces el sentido de estos dos? Elige las frases en que se utilizan correctamente.

• "No se ganó Zamora en una hora".

    a.   -El vuelo a Barcelona sale con retraso.
           +Sí, claro; *no se ganó Zamora en una hora.*

    b.   -Llevo estudiando español una semana y todavía no lo hablo muy bien.
           +Tienes que ser paciente: *no se ganó Zamora en una hora.*

• "Quien se fue a Sevilla, perdió su silla".

    a.   -Ahora trabajo en otro departamento, porque cuando regresé de las vacaciones, habían ocupado mi puesto de trabajo.
           +Claro, *quien se fue a Sevilla, perdió su silla.*

    b.   -Andalucía es una zona preciosa. Me encantaría vivir allí una temporada.
           +Es normal, *quien se fue a Sevilla, perdió su silla.*

¡vamos a hablar!

¿Por qué calles o plazas de la ciudad donde vives debe pasear un turista para conocerla bien? ¿Cómo es esa ciudad?

¿Prefieres vivir en la ciudad o en el campo? ¿Por qué?

Describe el barrio donde vives, las tiendas que hay, cómo son las calles, etc.

¿Qué haces un sábado por la tarde en tu ciudad?

¿Qué medio de transporte es el mejor en tu ciudad? ¿Usas el metro o el autobús?

¿Cuál es tu museo favorito? ¿Dónde está?

¿Vas con frecuencia a los parques? ¿Qué haces? ¿Cuál es tu parque favorito y por qué?

Cuando vas de compras, ¿adónde vas: a un supermercado o a tiendas pequeñas?

¿Podrías hablar de un lugar típico en alguna ciudad de tu país de origen?

Describe la plaza mayor de una ciudad española.

situaciones

 • Un turista despistado se ha metido en un supermercado y pide sellos. Acude en su ayuda.

 • Tu amigo sólo puede estar un día en una gran ciudad que tú conoces muy bien. Hazle un plan para que conozca lo más importante.

 • Escribe una postal a tu familia y, brevemente, dile cómo es la ciudad que visitas.

Lee el texto y responde:

a. ¿Qué carácter ha tenido siempre la Plaza Mayor?
b. ¿Qué sucesos tenían lugar en ella?
c. Con la ayuda de la foto y del vocabulario. haz una descripción detallada de esta famosa plaza madrileña.

LA PLAZA MAYOR, UN RECINTO POPULAR

Hasta la creación, en el siglo XIX, de la Puerta del Sol, esta plaza fue el centro de la vida social madrileña. Hoy permanece, perfectamente conservada, como el más importante ejemplo de arquitectura civil de su época. Fue Felipe III el que ordenó su construcción, en el lugar donde se situaba una populosa plaza medieval, la del Arrabal, en la que comerciaban pacíficamente judíos, moros y cristianos. A diferencia de otras plazas mayores europeas, ésta no tuvo un carácter aristocrático o religioso. Desde el primer momento tuvo un destino popular. Se proyectó como escenario para todo tipo de acontecimientos, muy especialmente corridas de toros, pero además, recibimientos reales, ajusticiamientos, contiendas a caballo, etc.

capítulo 12

Los deportes

léxico ¿Cómo se dice en tu lengua?

SUSTANTIVOS

aficionado/a (el/la) ....

alpinismo (el) ....

alpinista (el/la) ....

árbitro (el) ....

artes marciales (las) ....

ataque (el) ....

atleta (el/la) ....

atletismo (el) ....

automovilismo (el) ....

---

baloncesto (el)

Arg. **básquet (el)** ....

Méx. **baloncesto, basquetbol (el)**

---

balonmano (el)

Arg. **pelota al cesto (la)** ....

Méx. **frontón de mano (el)**

---

bate (el)

Méx. **bat (el)** ....

---

béisbol (el) ....

bicicleta (la) ....

boxeador/-a (el/la) ....

boxeo (el) ....

campeón/-a (el/la) ....

campeonato (el) ....

campo (el) ....

---

canasta (la)

Arg. **cesto (el)** ....

carrera (la) ....

carreras (las) ....

casco (el) ....

centro (el) ....

cesta (la) ....

ciclismo (el) ....

ciclista (el/la) ....

cima (la) ....

competición (la)
Arg./Méx. **competencia (la)** ....

corredor (el) ....

cronómetro (el) ....

cuadrilátero (el) ....

cuerda (la) ....

defensa (la) ....

defensa (el/la) ....

delantero/a (el/la) ....

deportes náuticos (los) ....

descanso (el) ....

disco (el) ....

entrenador/-a (el/la) ....

entrenamiento (el) ....

equipo (el) ....

escalada (la) ....

escalador/-a (el/la) ....

esgrima (la) ....

esquí (el) ....

esquiador/-a (el/la) ....

esquíes (los) ....

estadio (el) ....

falta (la) ....

frontón (el) ....

fútbol (el) ....

futbolista (el/la) ....

gimnasia (la) ....

gimnasta (el/la) ....

gol (el) ....

golf (el) ....

golpe (el) ....

guante (el) ....

hípica (la) ....

hipódromo (el) ....

hockey (el) ....

hoyo (el) ....

jabalina (la) ....

juego (el) ....

juegos olímpicos (los) ....

juez de línea (el) ....

jugador/-a (el/la) ....

kárate (el) ....

karateca (el/la) ....

lanzamiento (el) ....

liga (la) ....

línea (la) ....

lucha libre (la) ....

maratón (el) ....

marcador (el) ....

marcha (la) ....

medalla (la) ....

meta (la) ....

mochila (la) ....

montañero/a (el/la) ....

montañismo (el) ....

motociclismo (el) ....

léxico

nadador/-a (el/la) ....

natación (la) ....

palo (el) ....

partido (el) ....

pase (el) ....

patinador/-a (el/la) ....

patinaje (el) ....

pelota (la) ....

penalti (el) ....

pimpón [1] (el),
tenis de mesa (el) ....

piragüismo (el)
   Arg. **canotaje (el), piragüismo** ....
   Méx. **canotaje**

piscina (la)
   Arg. **pileta (la), piscina** ....
   Méx. **piscina, alberca (la)**

pista (la) ....

portería (la)
   Arg. **arco (el)** ....

portero/a (el/la)
   Arg. **arquero (el)** ....

profesional (el/la) ....

público (el) ....

puntuación (la) ....

raqueta (la) ....

recorrido (el) ....

red (la) ....

reglas de juego (las) ....

remo (el) ....

[1] Alterna con "ping-pong".

rival (el/la) ....

rugby (el) ....

salto (el) ....

saque (el) ....

tenis (el) ....

tenista (el/la) ....

tiro (el) ....

tiro al plato (el) ....

torneo (el) ....

trampolín (el) ....

trineo (el) ....

trofeo (el) ....

vela (la) ....

vencedor/-a (el/la) ....

ventaja (la) ....

vuelta ciclista(la) ....

yudo (el) ....

yudoka (el/la) ....

ADJETIVOS

ágil ....

agresivo/a ....

amistoso/a ....

atlético/a ....

cansado/a, fatigado/a ....

capaz ....

competitivo/a ....

defensivo/a ....

deportivo/a ....

fatigado/a [2]

fuerte

ganador/-a

imparcial

infatigable

invencible

irregular

ligero/a

náutico/a

olímpico/a

parcial

perdedor/-a

pesado/a

regular

torpe

victorioso/a

VERBOS

apostar

ascender

botar

> Arg. /Méx. **tirar**

boxear

cansar(se)

clasificar(se)

cometer una falta

correr

descalificar

descansar

disparar

empatar

encestar

entrenar

escalar

esquiar

ganar

hacer un penalti

jugar (al fútbol...)

lanzar

levantar

luchar

marcar

marchar

meter un gol

montar (en bicicleta...)

> Arg./Méx. **andar**

nadar

navegar

participar

patinar

perder

practicar

puntuar

remar

sacar

saltar

tirar(se) [3]

[2] Véase cansado/a.

[3] Véase botar en Arg.

ejercicios

a

Mira las palabras del léxico y escribe cinco deportes en que se utiliza la pelota, cinco deportes en los que no se necesita y cinco objetos relacionados con la práctica de algunos deportes.

....	....	....
....	....	....
....	....	....
....	....	....
....	....	....

b

a. ¿Sabes cómo se denomina a la persona que practica...?

1. ciclismo ....
2. fútbol ....
3. montañismo ....
4. boxeo ....
5. tenis ....
6. esquí ....
7. natación ....

b. ¿Y cómo se llama...?

1. el que gana ....
2. el que pierde ....

c

Hay dos verbos que no están relacionados con los deportes, ¿cuáles son?

practicar, jugar, tirar, ganar, redactar, montar,
encestar, escalar, saltar, dibujar, empatar

d

Forma frases originales combinando las siguientes palabras.

- fiesta / la final ....
- equipo / árbitro ....
- casco / partido ....
- tenis / red ....
- popularidad / jugador ....
- centro del campo / disparar ....
- ganar / liga ....

ejercicios

e

Escoge la palabra más adecuada para completar la frase.

> prueba, trofeo, marcador, trampa, atleta, aficionado
> animar, campeonato, bandera, capacidad

1. Cuando voy al estadio me gusta .... a mi equipo favorito.
2. Un buen .... practica varias horas al día.
3. El presidente de la nación entregó el .... al equipo ganador.
4. Para llegar a la final hay que superar esta última ....
5. Soy un gran .... a los partidos de tenis.
6. Todos los equipos de Europa participan en el ....
7. Uno de los miembros del equipo lleva la ....
8. El estadio Vicente Calderón tiene una .... de 100.000 espectadores.
9. La persona que intenta engañar a otra en el juego se dice que hace ....
10. El lugar donde aparecen los resultados del partido se llama ....

f

¿Verdadero o falso?

	V	F
1. El lugar donde se juega al tenis es la pista.	....	....
2. Para jugar a baloncesto es necesaria una red.	....	....
3. Los ciclistas llevan un pico en la bicicleta.	....	....
4. El portero de fútbol normalmente utiliza guantes.	....	....
5. El árbitro es un jugador del equipo.	....	....

expresionario

Relaciona las expresiones con sus equivalentes.

- Jugar limpio   Contar con circunstancias que favorecen.
- Jugar con ventaja   Actuar honestamente.
- Hacer la pelota (a alguien)   Alabar para conseguir algo.
- Dar en el blanco   Cometer un error. / Equivocarse.
- Dar un patinazo   Acertar.

¿Qué expresiones de las anteriores utilizarías en estas frases?

- No me fío de Paco; me parece que no ....

- Raúl siempre .... al profesor para obtener mejores notas.

¿Qué crees que significa el refrán "En la mesa y en el juego se conoce al caballero"?

¡vamos a hablar!

¿Practicas algún deporte? ¿Hace muchos años que lo practicas?

¿Qué deportes practicas en el verano? ¿Y en el invierno?

¿Juegas en algún equipo? ¿Soléis ganar o no?

¿Has ganado alguna vez un premio deportivo? ¿Cuándo?

¿Hay algún deporte que no te gusta? ¿Por qué?

¿Cuál es tu deporte favorito?

¿Prefieres ver los partidos en el estadio o por la televisión? ¿Qué diferencias existen?

Algunas veces los deportes son peligrosos. ¿Conoces algún caso? ¿Qué pasó?

¿La ciudad en donde vives o estudias es famosa por algún equipo deportivo?

¿Qué opinas? ¿Un deporte es importante porque se puede ganar la vida con él o porque se realiza ejercicio físico?

situaciones

• En la final de... se jugó un partido impresionante. Cuéntaselo a un amigo.

• Estás jugando un partido de baloncesto y un jugador te tira al suelo, ¿cómo reaccionas?

• Vas a ver un partido de tenis y el partido es muy aburrido. ¿Qué haces?

• Tu mejor amigo ha perdido en las carreras. ¿Qué le dices?

comprueba lo que sabes

Según las noticias del periódico, ¿qué competiciones tendrán lugar durante la semana? ¿Cuál te interesa más? ¿Qué ha pasado con el equipo masculino de tenis? ¿Habrá muchos patinadores en el campeonato de Europa?

Seis eventos deportivos se retransmiten esta semana

Tenis, baloncesto, patinaje artístico, fútbol americano, automovilismo y yudo se dan cita en televisión

GERVASIO PÉREZ, Madrid

El deporte tiene esta semana especial protagonismo en la programación televisiva por la cantidad y la relevancia de competiciones que se retransmiten. Seis grandes citas deportivas podrían seguirse puntualmente a lo largo de toda la semana y de la cadena de pago Euroesport: el Open de Australia de tenis, la Copa del Rey de baloncesto, la final de la esperada Super Bowl de fútbol americano, los Campeonatos de Europa de patinaje artístico, el campeonato de España de yudo y el Rally de Montecarlo.

La eliminación de los tenistas españoles en el Open de Australia de tenis ha recortado el interés de la categoría masculina de la competición para los aficionados españoles, quienes han visto caer a Carles Moyà, Àlex Corretja, Félix Mantilla, Albert Costa y a otros tenistas con los que las expectativas para conseguir algunos de los trofeos eran muy elevadas. Sin embargo, al cierre de esta edición, la flota seguía adelante en la categoría femenina, con Conchita Martínez y María Antonia Sánchez a la cabeza.

Los aficionados al patinaje artístico podrán seguir también los Campeonatos de Europa, que se celebran entre el 25 y el 31 de enero en el Sport Hall de Praga, y en los que compiten 180 patinadores de 34 países.

capítulo 13

Los **animales**

léxico ¿Cómo se dice en tu lengua?

SUSTANTIVOS

abeja (la) ....

águila (el) ....

araña (la) ....

ardilla (la) ....

aves (las) ....

avestruz (el) ....

avispa (la) ....

ballena (la) ....

búfalo/a (el/la) ....

búho (el) ....

buitre (el) ....

burro/a (el/la) ....

caballo (el) ....

cabra (la) ....

cachorro (el) ....

camello (el) ....

canario (el) ....

cebra (la) ....

cerdo/a (el/la)

 Méx. **puerco (el), cerdo** ....

ciervo/a (el/la) ....

cigüeña (la) ....

cisne (el) ....

cocodrilo (el) ....

cola (la) ....

colmillo (el) ....

conejo/a (el/la) ....

corral (el) ....

cría (la) ....

cucaracha (la) ....

cuernos (los) ....

cueva (la) ....

delfín (el) ....

dromedario (el) ....

elefante/a (el/la) ....

erizo (el) ....

especie (la) ....

establo (el) ....

flamenco (el) ....

foca (la) ....

gallina (la) ....

ganado (el) ....

garras (las) ....

gato/a (el/la) ....

gaviota (la) ....

gorila (el) ....

gusano (el) ....

hiena (la) ....

hipopótamo (el) ....

hocico (el) ....

hormiga (la) ....

insecto (el) ....

jabalí (el) ....

jirafa (la) ....

león/leona (el/la) ....

leopardo (el) ....

lince (el) ....

lobo/a (el/la) ....

loro (el) ....

mamíferos (los) ....

mono/a (el/la) ....

mosca (la) ....

mula (la) ....

murciélago (el) ....

nido (el) ....

oso/a (el/la) ....

oveja (la) ....

pájaro (el) ....

paloma (la) ....

pantera (la) ....

pato (el) ....

pavo (el)
  Méx. *pavo,*
    guajalote (el) ....

pelaje (el) ....

perdiz (la) ....

perro/a (el/la) ....

pez (el) ....

piel (la) ....

pingüino (el) ....

pluma (la) ....

rabo (el) ....

rana (la) ....

rata (la) ....

ratón (el) ....

reptil (el) ....

rinoceronte (el) ....

rugido (el) ....

safari (el) ....

serpiente (la)
  Arg. *víbora (la),*
    serpiente ....
  Méx. *serpiente, víbora*

tiburón (el) ....

tigre/tigresa (el/la) ....

toro (el) ....

tortuga (la) ....

trompa (la) ....

vaca (la) ....

yegua (la) ....

zoológico (el) ....

zorro/a (el/la) ....

léxico

ADJETIVOS

acuático/a ....

astuto/a ....

bovino/a ....

bravo/a ....

carnívoro/a ....

cruel ....

débil ....

doméstico/a ....

fiel ....

fiero/a ....

fuerte ....

herbívoro/a ....

mamífero/a ....

manso/a ....

noble ....

peludo/a ....

porcino/a ....

rabioso/a ....

rapaz ....

rumiante ....

salvaje ....

sanguinario/a ....

terrestre ....

vacuno/a ....

voraz ....

VERBOS

acariciar ....

acechar ....

aletear ....

amaestrar ....

anidar ....

---

aparear

Arg. **cruzar, aparear** ....

arañar ....

atacar ....

atar ....

aullar ....

balar ....

cebar ....

criar ....

croar ....

dar coces

Arg. **patear** ....

disecar ....

domesticar ....

incubar ....

ladrar ....

lamer ....

maullar ....

montar ....

morder ....

mugir ....

nadar ....

ordeñar ....

parir ....

perseguir ....

piar ....

picar ....

poner huevos ....

relinchar ....

roer ....

rugir ....

rumiar ....

trepar ....

trinar ....

trotar ....

volar ....

ejercicios

a

Escoge del vocabulario cuatro animales domésticos, cuatro salvajes y cuatro aves. ¿Qué animales del vocabulario tienen cuernos? ¿Y cuáles tienen plumas?

....
....
....

b

Completa las frases con el verbo más apropiado.

volar, atacar, picar, reptar, nadar

1. Los ciervos corren, las serpientes ....
2. El águila .... a una gran altitud.
3. El lobo .... al rebaño de ovejas.
4. Cuando les daba de comer, las gallinas me .... en la mano.
5. El tiburón es un animal rápido, ... a mucha velocidad.

c

¿Qué palabra corresponde a cada definición?

1. arañar
2. cachorro
3. trepar
4. hocico
5. foso
6. liebre
7. amaestrar
8. veterinario

a. Hoyo profundo.
b. Enseñar a un animal a hacer algo.
c. Boca y nariz de algunos animales.
d. Animal parecido al conejo y que corre mucho.
e. Herir a alguien con las uñas.
f. Subir por un muro o roca usando las manos y los pies.
g. Animal muy joven.
h. Médico de los animales.

d

Relaciona cada animal con el sonido que realiza.

1. gato
2. perro
3. pájaro
4. vaca
5. caballo
6. león
7. rana
8. pollito

a. croar
b. rugir
c. ladrar
d. relinchar
e. mugir
f. piar
g. cantar
h. maullar

e

a. Indica el género femenino de los siguientes animales.

• Toro ....   • León ....   • Tigre ....

b. Y ahora el masculino de estos otros.

• Oveja ....   • Yegua ....   • Gallina ....

ejercicios

f ¿Qué animal es? Sólo faltan consonantes. Todas las palabras están en el vocabulario.

e _ e _ a _ _ e   Tiene trompa.
_ o _ o   Es capaz de hablar.
_ a _ a   Vive en los estanques.
_ a _ _ e _ a   Es un mamífero marino.
_ a _ e _ _ o   Tiene joroba.
_ o _ o _ _ i _ o   Es un reptil muy grande.

g Asocia cada animal con el adjetivo que mejor le califica y después escribe una frase.

1. toro	a. fiel
2. águila	b. feroz
3. perro	c. bravo
4. caballo	d. rapaz
5. zorro	e. manso
6. tigre	f. astuto

expresionario

👄 ¿Podrías completar el siguiente refrán? Está relacionado con el hecho de parecer feroz pero ser manso. Se necesitan dos adjetivos derivados de verbos que están en los ejercicios de la lección.

Perro ...., poco ....

👄 ¿En qué contexto usarías el refrán "La cabra siempre tira al monte"?

👄 En todos los idiomas hay expresiones con los animales. Aquí tenemos algunas pero no estamos seguros de cómo son exactamente. Ayúdanos.
- Tiene siete vidas como los ¿gatos? / ¿monos?
- No es tan fiero él ¿canario? / ¿león? como lo pintan.
- Luis no ha sentido esa muerte y llora lágrimas de ¿cocodrilo? / ¿oveja?
- No quiere enterarse de nada, usa la técnica del ¿avestruz? / ¿loro?

👄 ¿Sabes qué significan estas expresiones? Relaciónalas con su significado.
- Tener malas pulgas.
- Coger el toro por los cuernos.
- Estar como pulpo en un garaje.
- Llevarse como el perro y el gato.

- Ser una monada.

• Afrontar los problemas directamente.
• Tener (dos personas) malas relaciones.
• Ser muy bonito.
• Encontrarse incómodo en un lugar o situación por falta de adecuación.
• Estar permanentemente de mal humor.

¡vamos a hablar!

El mejor amigo del hombre, a tu parecer es .... Habla de él.

¿Tienes algún animal en casa? ¿Cómo lo cuidas? ¿Qué hace generalmente?

¿Te gustan los animales? ¿Cuál te gusta más?

¿Has estado en el zoo? ¿Cómo era? ¿Dónde te gusta detenerte más tiempo y mirar?

¿Es bueno o malo tener animales dentro de casa? ¿Por qué?

¿Has tenido algún problema con algún animal? ¿Por qué?

¿Cómo demuestran los animales su inteligencia? ¿Puedes mencionar ejemplos concretos?

¿Has ido al circo? ¿Qué te parecen las actuaciones de los animales? ¿Te gusta todo lo que hacen?

¿Has ido a las carreras de caballos alguna vez? ¿Te gustan?

¿Eres partidario de las corridas de toros? ¿Qué opinas de ellas?

¿Te gusta la caza? ¿Te parece que es un buen deporte o no? ¿Has ido alguna vez de caza o de pesca?

situaciones

• Estás delante de un perro muy feroz. ¿Cómo reaccionas?

• Tu gata siamesa ha tenido crías. Dinos qué vas a hacer con ellas. ¿Te las quedas todas? ¿Ninguna? ¿Vendes o regalas alguna?

• Una persona está pegando muy fuerte a un animal. ¿Le dices algo? ¿Qué haces?

Atrás Adelante Detener Actualizar Página principal Favoritos Historial Buscar

Dirección: http://www.faunaiberica.org   Ir

Página inicial de actualidad   Apple Computer   Soporte de Apple   Apple Store

1. Ve a la página www.faunaiberica.org

- Mira los animales dentro del grupo de Mamíferos. A partir de esta información relaciona las dos columnas. (Si no sabes cómo son los animales, pulsa sobre los nombres y verás la foto.)

Faunalbérica
Portal para la divulgación y conservación de los animales ibéricos

Grandes carnívoros	lince ibérico
	ardilla común
Mamíferos marinos	lobo ibérico
	delfín
Roedores	oso pardo
	gato montés
Pequeños carnívoros	zorro
	foca

2. El lince hispánico.

- En Mamíferos selecciona Lince ibérico. Lee los apartados correspondientes y responde si es verdadero (V) o falso (F):

➡ *Morfología*
• El lince es más pequeño que un gato doméstico.
• Es un animal fuerte, con cola corta y patas largas.
• En la punta de las orejas tiene pelos negros en forma de pinceles.
• Las plantas de las patas son finas.

➡ *Costumbres, alimentación*
• El lince come sobre todo conejos.
• Es un animal solitario y que no se queda en un lugar fijo.
• Los linces pequeños y jóvenes prefieren el día a la noche.

V	F

3. El águila real

- En la página principal activa Aves y pulsa sobre Águila real dentro del grupo de "Rapaces diurnas". Lee la información y contesta.

• ¿Qué color tiene esta ave?, ¿dónde viven en la Península?, ¿en qué mes y de qué modo inician su reproducción?

Zona de Internet

capítulo 14

La salud
y la enfermedad

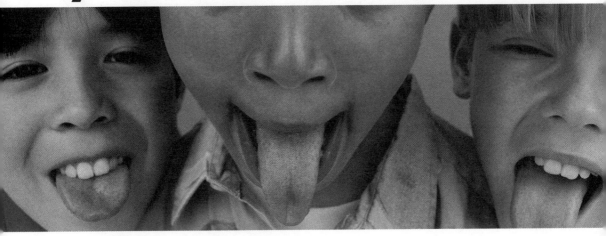

léxico ¿Cómo se dice en tu lengua?

SUSTANTIVOS

agotamiento (el) ....

alcohol (el) ....

alergia (la) ....

algodón (el) ....

ampolla (la) ....

analgésico (el) ....

análisis (de sangre...) (el) ....

anestesia (la) ....

anginas (las) ....

antibiótico (el) ....

antiséptico (el) ....

antitérmico (el) ....

apendicitis (la) ....

asfixia (la) ....

asma (el) ....

aspirina (la) ....

ataque (el) ....

botiquín (el) ....

bronquitis (la) ....

calmante (el) ....

camilla (la) ....

cáncer (el) ....

cardenal (el), hematoma (el) ....

Méx. **moretón (el), hematoma**

cardiólogo/a (el/la) ....

catarro (el) ....

léxico

chequeo (el) ....

chichón (el) ....

cicatriz (la) ....

cirugía (la) ....

cirujano/a (el/la) ....

cólera (el) ....

consulta (la) ....

consultorio (el) ....

contagio (el) ....

convalecencia (la) ....

cura (la) ....

dentista (el/la) ....

dermatología (la) ....

dermatólogo/a (el/la) ....

derrame (el) ....

deshidratación (la) ....

desinfectante (el) ....

diagnóstico (el) ....

dieta (la) ....

doctor/-a (el/la) ....

dolor (el) ....

dosis (la) ....

ecografía (la) ....

electrocardiograma (el) ....

embarazo (el) ....

enfermedad (la) ....

enfermero/a (el/la) ....

enfermo/a (el/la) ....

epidemia (la) ....

epilepsia (la) ....

escalofrío (el) ....

esparadrapo (el)
Arg. **apósito (el)** ....

estornudo (el) ....

faringitis (la) ....

fatiga (la)
Arg. **cansancio (el)** ....
Méx. **cansancio, fatiga**

fiebre (la) ....

fractura (la) ....

ginecología (la) ....

ginecólogo/a (el/la) ....

gotas (las) ....

grano (el) ....

gripe (la) ....

grupo sanguíneo (el) ....

hematoma [1] (el) ....

hemorragia (la) ....

herida (la) ....

higiene (la) ....

historia clínica (la) ....

infección (la) ....

insomnio (el) ....

intoxicación (la) ....

inyección (la) ....

irritación (la) ....

jarabe (el) ....

lesión (la) ....

llaga (la) ....

malestar (el) ....

mareo (el) ....

masaje (el) ....

medicina (la) ....

médico (el/la) ....

mejoría (la) ....

náuseas (las) ....

[1] Véase *cardenal.*

léxico

oculista (el/la) ....

oftalmología (la) ....

oftalmólogo/a (el/la) ....

operación (la) ....

óptico (el) ....

otorrinolaringólogo/a (el/la) ....

paciente (el/la) ....

paperas (las) ....

parálisis (la) ....

pastilla (la) ....

pediatra (el/la) ....

pediatría (la) ....

picadura (la) ....

picor (el)
Arg. **picazón (el)** ....
Méx. **picazón (la)**

pinchazo (el) ....

pomada (la) ....

puntos (los) ....

psiquiatra (el/la) ....

psiquiatría (la) ....

quemadura (la) ....

quirófano (el) ....

quiste (el) ....

radiografía (la) ....

receta (la) ....

régimen (el) ....

rehabilitación (la) ....

resfriado (el)
Arg. **resfrío (el)** ....

reúma (el) ....

rubéola (la) ....

salud (la) ....

sarampión (el) ....

SIDA (el) ....

síntoma (el) ....

sinusitis (la) ....

suero (el) ....

supositorio (el) ....

temblor (el) ....

tensión (la) ....

terapia (la) ....

termómetro (el) ....

tirita (la)
Arg. **curita (la)** ....
Méx. **curita (el)**

tos (la) ....

transfusión (la) ....

tratamiento (el) ....

traumatólogo/a (el/la) ....

tumor (el) ....

vacuna (la) ....

varicela (la) ....

venda (la) ....

virus (el) ....

vitaminas (las) ....

vómito (el) ....

ADJETIVOS

alternativo/a ....

cardíaco/a ....

cerebral ....

ciego/a ....

cojo/a
Arg. **rengo/a** ....

contagioso/a ....

léxico

débil ....

dolorido/a ....

doloroso/a ....

enfermo/a ....

febril ....

fuerte ....

incurable ....

indispuesto/a ....

infectado/a ....

insensible ....

intravenoso/a ....

inválido/a ....

mareado/a ....

mortal ....

óseo/a ....

preventivo/a ....

sano/a ....

sensible ....

sordo/a ....

VERBOS

cicatrizar ....

contagiarse ....

cuidar ....

curar(se) ....

delirar ....

doler ....

empeorar ....

enfermar ....

enfriarse ....

enrojecer ....

envenenarse ....

estornudar ....

extraer ....

fracturarse ....

hincharse ....

inyectar ....

marearse ....

medicar(se) ....

mejorar ....

operar ....

picar ....

ponerse enfermo/a ....
> *Arg.* **enfermar(se)**
> *Méx.* **enfermar(se),
> ponerse enfermo/a**

poner una inyección ....

recetar ....

rehabilitar ....

respirar ....

romperse (un hueso) ....
> *Arg.* **quebrarse (un hueso)**

sanar ....

sangrar ....

tener fiebre, dolor de cabeza... ....

tomar la tensión ....

toser ....

tratar ....

vacunar ....

vomitar ....

ejercicios

a

Entre las palabras del vocabulario señala: cuatro médicos especialistas, cuatro enfermedades, cuatro medicinas y cuatro síntomas.

....
....
....
....

b

Señala el término semejante.

- hospital   fractura
- resfriado   tranquilizante
- fatiga   descanso
- pastilla   clínica
- rotura   cansancio
- reposo   constipado
- calmante   píldora

c

Escoge la palabra adecuada para completar las frases.

> pomada, insomnio, medicinas, escayola, apetito, vacuna,
> transplante, huesos, tratamiento, anestesia

1. Si te rompes una pierna o un brazo te ponen una ....
2. El doctor Barnard hizo el primer .... de corazón.
3. No tiene ganas de comer, ha perdido el ....
4. Después de la caída, la enfermera le puso la .... antitetánica.
5. El médico le ha puesto un .... muy severo.
6. No puede dormir por las noches. Tiene ....
7. Tiene una ampolla en el dedo y por eso debe darse una ....
8. Tuvo un accidente de automóvil y se rompió varios ....
9. En España sólo se pueden comprar .... en la farmacia.
10. En la operación es imprescindible ponerle ....

d

Hay dos verbos que no están relacionados con los demás. ¿Puedes encontrarlos?

> curar, respirar, doler, marcharse, vacunar, marearse,
> rascarse, toser, operar, tachar, estornudar, picar

e

Haz frases originales utilizando los siguientes pares de palabras.

Marearse / tomar la tensión   ....
Pedir hora / consultorio   ....
Alcohol / poner una inyección   ....

Estornudar / alergia ....
Garganta / operación ....
Herida / calmante ....
Fuego / quemadura ....

El ordenador del doctor Gómez no funciona bien y, por eso, su informe médico tiene algunos errores, ¿puedes corregirlos? Todas las palabras con faltas están en el vocabulario.

El paciento Jorge Ruiz presenta diversas haridas. Se tumbó en la comilla, ya que sufría marios y naseas. La enfermera le puso el termómietro y vio que no tenía fibra. Le pusimos una venta en la herita más grande y le dimos un jorabe. También le dijimos que debería ponerse una vacana.

Elige el especialista que corresponde a cada frase.

cardiólogo, pediatra, otorrino, traumatólogo, dentista

1. Mi hermano pequeño, de cuatro años, tenía fiebre y tos. Mis padres le han llevado al ....
2. Esta mañana el .... me ha hecho un electrocardiograma.
3. El profesor no ha venido a clase porque se fracturó una pierna y tuvo que ir al ....
4. Le dolía mucho una muela, por eso fue a la consulta del ....
5. Según el .... tengo una infección de oídos.

expresionario

¿Qué crees que significan estas expresiones?

- Luis ha perdido el conocimiento.

    • A Luis se le ha olvidado algo.
    • Luis se ha desmayado.

- María goza de buena salud.

    • Tiene muchos achaques.
    • Tiene una salud de hierro.

- Luis tiene una venda en los ojos. Hay que decirle la verdad.

    • Ese chico tiene problemas en los ojos.
    • No quiere ver los problemas reales.

¿Sabes qué significa el dicho "Es peor el remedio que la enfermedad"?

¡vamos a hablar!

¿Qué síntomas tienes cuando estás resfriado? ¿Qué haces?

¿Has estado alguna vez ingresado en el hospital? ¿Qué te pasó?

¿Cuándo se debe ir al médico? ¿Te recetas tú solo o prefieres ir a la consulta?

¿Tomas frecuentemente alguna medicina? ¿Por qué?

¿Te has roto alguna vez una pierna o un brazo? ¿Qué hiciste? ¿Qué te recomendó el médico?

¿Cuáles son algunas de las típicas enfermedades infantiles? ¿Qué síntomas tienen?

¿Has tenido alguna quemadura? ¿Qué te pasó?

¿Tienes alguna alergia? ¿A qué? ¿Cuándo la tienes?

¿Te han operado alguna vez? ¿Cuál era el problema?

¿Qué piensas de los métodos naturistas para curar enfermedades? ¿Eres partidario de la llamada "medicina alternativa"?

situaciones

• "No me encuentro bien", te dice un amigo mientras paseáis por la calle y después se marea y pierde el conocimiento. ¿Qué haces para ayudarle?

• Te caes por la escalera y te duele mucho una pierna. ¿Qué crees que te pasa? ¿Cómo actúas?

• Has ido al campo y ahora te pica mucho todo el cuerpo, estornudas, te lloran los ojos... ¿Qué haces? ¿Te pones algo?

comprueba lo que sabes

a. ¿Ante qué síntomas te mandaría el médico comprimidos de TYLENOL? ¿Qué dosis te sugiere?

b. ¿En qué situación te pondrías CALMATEL?

c. ¿Con qué palabras o frases de estos prospectos relacionarías "pastilla", "mejoría", "pomada" y "antitérmico"?

Calmatel® Gel

Piketoprofeno

Composición por 100 g:
Piketoprofeno (DCI).. 1,8 g
Excipientes (hidroxipropilcelulosa, propilenglicol, esencia de lavanda, alcohol etílico).

Forma farmacéutica y contenido del envase
Gel, para administración tópica exclusivamente. Envase de 60 g.

Actividad
Calmatel®, cuyo principio activo Piketoprofeno ha sido desarrollado en el Centro de Investigación Almirall, presenta una actividad antiinflamatoria y analgésica importante en el tratamiento de enfermedades reumatológicas y traumatológicas.

Titular y fabricante
Grupo Farmacéutico Almirall, S.A. General Mitre, 151 08022 - Barcelona (España).

Indicaciones
Está indicado en todo tipo de afecciones inflamatorias y dolorosas del aparato locomotor.
Traumatología
Esguinces, contusiones, luxaciones, fracturas.
Reumatología
Lumbago, artrosis, miositis reumáticas, tortícolis, epicondilitis, tenosinovitis y bursitis.

Contraindicaciones
Hipersensibilidad a los componentes de la especialidad.
Existe posibilidad de hipersensibilidad cruzada con ácido acetilsalicílico y otros antiinflamatorios no esteroideos.
No aplicar el gel sobre ojos, mucosas, úlceras o lesiones abiertas de la piel, ni en ninguna otra circunstancia en que concurra en el mismo punto de aplicación otro proceso cutáneo.

Precauciones
No se han descrito.

Advertencias
Embarazo y lactancia

Importante para la mujer
El uso de medicamentos durante el embarazo puede ser peligroso para el embrión o el feto y debe ser vigilado por su médico. Si está usted embarazada o cree que pudiera estarlo, consulte a su médico antes de aplicar este medicamento.

Efectos sobre la capacidad de conducción y manipulación de maquinaria
Este medicamento no afecta a la capacidad de conducción ni al manejo de maquinaria.

Por su contenido en alcohol etílico no debe acercarse el tubo de gel a la llama o fuego directos, en previsión de un posible accidente.

Posología
Calmatel® puede aplicarse las veces que el médico lo considere oportuno.
Calmatel® Gel se aplicará acompañado de un suave masaje o con un vendaje oclusivo. Como

TYLENOL 500

paracetamol   COMPRIMIDOS RECUBIERTOS

ACCIÓN
El paracetamol es eficaz como analgésico y antipirético.

INDICACIONES
– Alivio del dolor leve o moderado como dolores de cabeza y dolores dentales.
– Estados febriles.

POSOLOGÍA
– Dos comprimidos (1.000 mg) 3 ó 4 veces al día sin exceder 8 comprimidos cada 24 horas.
La administración del preparado está supeditada a la aparición de los síntomas dolorosos o febriles. A medida que estos desaparezcan debe suspenderse esta medicación.

CONTRAINDICACIONES
– Enfermedades hepáticas.

PRECAUCIONES
– En pacientes con insuficiencia hepática o renal, anemia, afecciones cardíacas o pulmonares, evitar tratamientos prolongados.
– No exceder la dosis recomendada.
– Se aconseja consultar al médico para usarlo en niños menores de 3 años o en tratamientos de más de 10 días.

EFECTOS SECUNDARIOS
– Hepatotoxicidad con dosis altas o tratamientos prolongados.
– Raramente pueden aparecer erupciones cutáneas y alteraciones sanguíneas.

ADVERTENCIAS
Advertencias sobre excipientes:
Por contener polietilenglicol 8000 como excipiente este medicamento puede causar diarrea.

INTERACCIONES
– Puede aumentar la toxicidad del cloranfenicol.
– En caso de tratamiento con anticoagulantes orales se puede administrar ocasionalmente como analgésico de elección.

capítulo 15

Las vacaciones en el mar

léxico ¿Cómo se dice en tu lengua?

SUSTANTIVOS

acantilado (el)

aletas (las)

algas (las)

arena (la)

bañista (el/la)

barco (el)

botella de oxígeno (la)
> **Arg.** *tubo de oxígeno (el)*
>
> **Méx.** *tanque de oxígeno (el)*

boya (la)

bronceador (el),
crema bronceadora (la)

buceo [1] (el)

buzo (el/la)

cabo (el)

cala (la)

cangrejo (el)

caña de pescar (la)

castillo de arena (el)

colchoneta (la)

concha (la)

costa (la)

crema bronceadora [2] (la)

crucero (el)

cubo (el)
> **Arg.** *balde (el)*

diversión (la)

erizo (el)

esquí acuático (el)

estrella de mar (la)

excursión (la)

faro (el)

---

[1] Véase *submarinismo* en Arg.

[2] Véase *bronceador*.

léxico

flotador (el) ....

gafas de bucear (las)
  Arg. **lentes de bucear (los)** ....
  Méx. **visor (el)**

golfo (el) ....

hamaca [3] (la) ....

insolación (la) ....

isla (la) ....

lago (el) ....

marea alta/baja (la) ....

medusa (la) ....

océano (el) ....

olas (las) ....

orilla (la) ....

pala (la) ....

patín (el) ....

pelota (la) ....

pesca (la) ....

playa (la) ....

profundidad (la) ....

puerto (el) ....

pulpo (el) ....

rompeolas (el) ....

sendero (el) ....

sol (el) ....

sombrilla (la) ....

submarinismo (el) ....
  Arg. **buceo (el)**

surf (el) ....

toalla (la) ....

toldo (el) ....

trampolín (el) ....

tubo de buceo (el) ....

tumbona (la)
  Arg. **reposera (la)** ....
  Méx. **hamaca (la)**

turista (el/la) ....

veraneante (el/la)
  Méx. **vacacionista (el/la)** ....

yate (el) ....

ADJETIVOS

acuático/a ....

[3] Véase *tumbona* en Méx.

arenoso/a ....

costero/a ....

flotante ....

húmedo/a ....

marino/a ....

mojado/a ....

montañoso/a ....

oceánico/a ....

pantanoso/a ....

pedregoso/a ....

playero/a ....

profundo/a ....

seco/a ....

soleado/a ....

sombrío/a ....

submarino/a ....

turístico/a ....

veraniego/a ....

VERBOS

ahogarse ....

atrapar ....

bañarse ....

broncearse [4] ....

bucear ....

divertirse ....

flotar ....

hundirse ....

nadar ....

pescar ....

picar ....

ponerse moreno/a, broncearse
  Arg. **broncear(se), tostar(se)** ....
  Méx. **quemarse**

quemarse ....

sumergirse ....

tirar(se) ....

tumbarse ....

veranear ....

[4] Véase *ponerse moreno.*

ejercicios

a Escoge del vocabulario tres palabras relacionadas con el paisaje marino, cinco objetos para practicar deportes acuáticos y cinco objetos que se llevan normalmente a la playa.

....
....
....
....

b Completa las siguientes frases con el verbo más apropiado.

flotar, bucear, hundirse, ahogarse, sumergirse

1. Las pelotas de plástico .... en el agua.
2. Durante la terrible tormenta el barco ....
3. Los submarinos .... a grandes profundidades en el océano.
4. Es necesario llevar oxígeno para .... durante más de una hora.
5. Un señor que no sabía nadar, casi .... cerca de la playa.

c Relaciona cada palabra con su definición o sinónimo.

1. crucero
2. alga
3. submarino
4. cabo
5. a la deriva
6. náufrago
7. embarcación
8. yate
9. tripulante
10. cala

a. Persona que trabaja en el barco.
b. Persona que iba en un barco que se hundió.
c. Entrante pequeño del mar en la tierra.
d. Barco para el ocio.
e. Que está bajo la superficie del mar.
f. Planta marina.
g. Saliente de la costa que penetra en el mar.
h. Sin dirección fija.
i. Todo tipo de barco.
j. Viaje de placer en barco haciendo escalas.

d Señala los antónimos de estas palabras.

• orilla   húmedo
• desnudo   blanco
• profundo   vestido
• seco   superficial
• bravo   tranquilo
• moreno   alta mar

e Escribe una frase con los siguientes grupos de palabras.

arena / estrella   ....
náufrago / hundirse   ....

nadar / flotador	....
costa / golfo	....
aletas / bucear	....
explorar / fondo	....
profundidad / bañarse	....

¿De qué palabra se trata? Sólo faltan consonantes. Todas las palabras están en el vocabulario.

_ u e _ _ o	Lugar donde llegan los barcos.
_ _ o _ a _ o _	Es necesario si no sabe nadar.
e _ _ _ e _ _ a	Animal marino con forma geométrica.
_ _ a _ _ o _ í _	Sirve para lanzarse al agua.
_ a _ i _ _ a _	Las personas que se bañan.

expresionario

Está claro que los peces tienen que ver con el mar. Pero, ¿sabes qué quieren decir estas expresiones relacionadas con ellos? Relaciónalas con los equivalentes.

- Ser un pez gordo.	Encontrarse muy adaptado y a gusto en un lugar.
- Estar pez (en algo).	Ser muy importante.
- Estar como pez en el agua.	No saber nada.
- Por la boca muere el pez.	Dicho que se emplea cuando das más información de la que debes y puede volverse en tu contra.

Agosto es el mes veraniego por excelencia, y referido a él podemos oír frases como "Hacer su agosto". ¿Qué crees que significa?

Explica el significado de estas locuciones.
- Hacerse a la mar.
- Estar picado (el mar).
- Llover a mares.
- Nadar entre dos aguas.

Como resumen de todo lo anterior, completa estas frases.

1. A pesar de las clases particulares, no sabe ni sumar ni restar: .... en matemáticas.
2. Este año, debido al mal tiempo, han vendido más paraguas que nunca; ....
3. Hoy las olas son muy grandes: el mar ....

¡vamos a hablar!

¿Has estado alguna vez de vacaciones en la playa? ¿Dónde? Describe el lugar.

¿Qué haces generalmente cuando vas a la playa?

¿Te gusta ponerte mucho al sol o prefieres bañarte?

¿Te gusta más bañarte en el mar o en una piscina? ¿Por qué? ¿Qué ventajas y desventajas existen?

¿Te gusta bañarte cuando hay muchas olas? ¿Por qué sí o por qué no?

¿Has vivido alguna vez una situación de peligro en el agua? ¿Qué te pasó? ¿Cómo lo solucionaste?

Describe el paisaje de mar o playa que más te haya gustado.

¿Conoces algún lugar de la costa española? ¿Cómo es? ¿Te gusta?

¿Practicas algún deporte acuático? ¿Cuál?

¿Has practicado alguna vez la pesca submarina? ¿Qué te parece?

situaciones

 • Laura ha decidido que van de vacaciones al mar, pero Miguel piensa que la montaña es mejor. ¿Qué conversación tienen?

 • Ves que una persona se está ahogando en el mar, ¿qué haces?

 • Imagina que te invitan a dar un paseo en barco y cuando estás lejos de la playa se estropea el motor, ¿cómo actuarías?

 • Piensas irte el fin de semana a la playa. ¿Qué vas a llevar? ¿Qué cosas preparas? ¿Qué harás cada día?

comprueba lo que sabes

a. *Organiza una semana de vacaciones en cada uno de estos lugares.*
b. *¿Tiene el hotel todos los servicios que buscas? ¿Te parece que falta algo?*
c. *¿Qué deportes acuáticos podrías practicar en el otro sitio?*
d. *Describe el paisaje de ambas fotos.*

Hotel y Residencia Papa Luna

PAPA LUNA

HOTEL Y RESIDENCIA PAPA LUNA ★★★

AVDA. PAPA LUNA, 6 • 12598 PEÑÍSCOLA (CASTELLÓN) ESPAÑA
TELS: (964) 48 06 50 - 48 10 11 • FAX: (964) 48 07 59

HOTELES SERVI GROUP

Costa mediterránea

SITUACIÓN
- Inmejorable situación en primerí-
sima línea de mar, a pocos metros
del centro urbano e histórico de
Peñíscola.

INSTALACIONES Y SERVICIOS
- Amplia terraza con piscina para
adultos y niños. Bar tropical.
Hamacas acolchadas y sombrillas.
- Programa diario de música y ani-
mación con excelente ambiente
nocturno.
- Zona reservada en la playa aten-
dida por personal del hotel, con
alquiler de toldos, tumbonas y
sombrillas para uso exclusivo de
clientes (suplemento).

En sus playas inmensas se
puede encontrar todavía
la soledad, teniendo un
mar bravo y fuerte como
testigo. Las pequeñas sie-
rras que se alzan en la
costa dan cobijo a aldeas
de belleza extraordinaria.
El viajero que se acerque
a la Costa da Morte, bien
por tierra bien por mar, se
encontrará con un paisa-
je marcado por los con-
trastes. Hallará pequeñas
rías o minúsculas ensena-
das y amplios arenales a
los que asoman impresio-
nantes paisajes.

Costa gallega

capítulo 16

La televisión

léxico ¿Cómo se dice en tu lengua?

SUSTANTIVOS

actor (el) ....

actriz (la) ....

adaptación (la) ....

antena (la) ....

antena parabólica (la) ....

anuncio (el)
....
Arg. **anuncio, aviso (el)**

argumento (el) ....

audiencia (la) ....

brillo (el) ....

cámara (la) ....

canal (el) ....

capítulo (el) ....

color (el) ....

comedia (la) ....

concurso (el) ....

corresponsal (el/la) ....

cortometraje (el) ....

decoración (la) ....

descanso (el), pausa (la) ....

diálogo (el) ....

dibujos animados (los) ....

director/-a (el/la) ....

doblaje (el) ....

léxico

documental (el) ....

emisión (la) ....

ensayo (el) ....

entrevista (la) ....

episodio (el) ....

escenario (el) ....

escenografía (la) ....

espectáculo (el) ....

estrella (la) ....

estreno (el) ....

fotografía (la) ....

gala (la) ....
    Arg./Méx. **función de gala (la)**

grabación (la) ....

guión (el) ....

imagen (la) ....

información (la) ....

interferencia (la) ....

interruptor (el) ....

invitado/a (el/la) ....

locutor/-a (el/la) ....

mando a distancia (el) ....
    Arg./Méx. **control remoto (el)**

maquillaje (el) ....

melodrama (el) ....

moderador/-a (el/la) ....

monólogo (el) ....

noticias (las) ....

obra de teatro (la) ....

pantalla (la) ....

participantes (los/las) ....

pausa (la) ....

película (la) ....

personaje (el) ....

presentador/-a (el/la)
    Arg. **animador/-a,
        conductor/-a (el/la)** ....
    Méx. **conductor/-a,
        animador/-a**

programa (el) ....

programación (la) ....

protagonista (el/la) ....

publicidad (la) ....

público (el) ....

radio (la) ....

realización (la) ....

recital musical (el) ....

reportaje (el) ....

reposición (la) ....

retransmisión (la) ....

serie (la) ....

sonido (el) ....

subtítulo (el) ....

telediario (el) ....
    Arg./Méx. **noticiero (el)**

telenovela (la) ....

telespectador/-a (el/la) ....
    Méx. **televidente (el/la)**

teletexto (el) ....

tragedia (la) ....

vestuario (el) ....

vídeo (el)
Arg./Méx. *video (el)* ....

volumen (el) ....

ADJETIVOS

aburrido/a ....

borroso/a ....

claro/a ....

cómico/a ....

creativo/a ....

divertido/a ....

en diferido
Méx. *diferido* ....

en directo ....

entretenido/a ....

ficticio/a ....

infantil ....

informativo/a ....

interesante ....

juvenil ....

misterioso/a ....

oscuro/a ....

policíaco/a
Arg. *policial, policíaco/a* ....

privado/a ....

público/a ....

real ....

subtitulado/a ....

VERBOS

adaptar ....

adelantar ....

anunciar ....

cancelar [1] ....

dirigir ....

doblar ....

durar ....

emitir ....

ensayar ....

entretener(se) ....

entrevistar ....

estrenar ....

filmar ....

grabar ....

informar ....

interpretar ....

maquillar ....

patrocinar
Arg. *auspiciar* ....

poner (una película...) ....

presentar ....

programar ....

rebobinar ....

representar ....

retransmitir ....

suspender, cancelar ....

ver ....

[1] Véase *suspender.*

ejercicios

Selecciona en el vocabulario cinco palabras que denominan programas de televisión, cuatro que se refieren a personas que trabajan en/para la televisión y tres partes del televisor.

....
....
....
....

b

¿Cuál es la palabra que corresponde?

> del oeste, infantil, cortometraje, comedia, largometraje,
> policiaca, de ciencia-ficción, de suspense, de terror

- Película de poca duración.   ....
- Película que dura mucho tiempo.   ....
- Película que hace reír.   ....
- Película en que intervienen "policías y ladrones".   ....
- Película para niños.   ....
- Película en que intervienen muchos "vaqueros".   ....
- Película que mezcla la fantasía y la ciencia.   ....
- Película en donde se pasa miedo intenso.   ....
- Película en la que hay una intriga que no   ....
  se resuelve hasta el final.   ....

c

¿Sabrías sinónimos de...?

1. Episodio   ....   2. Film   ....
3. Trama   ....   4. Pequeña pantalla ....
5. Publicidad   ....

d

Escoge la palabra más adecuada para completar la frase.

> adultos, subtítulos, adaptación, ídolos, doblada, escenas, en directo,
> blanco y negro, borrosa, en diferido, madrugada, interferencias

1. Las retransmisiones deportivas tienen más emoción .... que ....
2. Esta película no está .... , está en versión original con ....
3. Antes tenía una televisión en .... pero ahora la tengo en color.
4. No puedes ver esa película porque es solamente para ....
5. Esa serie tiene demasiadas .... violentas.
6. No vi bien el partido porque la televisión tenía muchas ....
7. Ese programa de televisión es una .... de una novela.

8. Era difícil observar el final de la carrera porque la imagen estaba muy ....

9. La programación que se ve después de las doce de la noche se llama de ....

10. Algunos actores se convierten en .... para la gente joven.

e

a Entre los siguientes verbos hay uno que no está relacionado con el tema de la televisión. ¿Puedes encontrarlo?

presentar, anunciar, emitir, ingerir, doblar, durar, tratar, dirigir

b ¿Puedes decir también sustantivos relacionados con ellos?

1. ....
2. ....
3. ....
4. ....
5. ....
6. ....
7. ....

f

¿Es verdadero o falso?

	V	F
1. Las tragedias tienen normalmente un final feliz.	....	....
2. Los dibujos animados son un programa infantil.	....	....
3. Las interferencias sirven para mejorar el volumen.	....	....
4. Un documental es un programa informativo sobre hechos reales.	....	....
5. Si un programa se ve mucho se dice que tiene gran audiencia.	....	....

expresionario

De película

- Me lo he pasado fenomenal en las vacaciones.
+ Yo también. Han sido unas vacaciones de película.

Ser más lento que el caballo del malo

Juan tarda mucho en vestirse. Es más lento que el caballo del malo.

👄 ¿Sabes lo que es "un culebrón"?

- Una serpiente muy larga.
- Una serie de televisión con muchos episodios.

¡vamos a hablar!

Muchos la llaman "la caja tonta", pero pocos prescinden totalmente de ella. ¿De qué estamos hablando? ¿Estás de acuerdo con lo anterior?

¿Te gusta la televisión? ¿Tienes una en casa? ¿Cuándo la ves?

¿Qué programas de televisión son tus favoritos? ¿Por qué?

¿Te gusta alguna serie que ponen habitualmente todas las semanas? ¿De qué trata?

¿Prefieres ver los canales públicos o privados? ¿Por qué?

¿Prefieres ver la televisión o ir al cine? ¿Por qué? ¿Tienes vídeo?

¿Cuál es la película que más te ha gustado? ¿Quiénes eran los actores? ¿Cuál era el argumento?

¿Qué piensas de los anuncios y la propaganda en televisión? ¿Crees que está bien cortar una película para poner anuncios?

¿Has visto la televisión en otros países? ¿Qué diferencias existen?

¿Crees que la televisión tiene alguna influencia en los jóvenes? ¿Buena o mala? ¿Por qué?

¿Es conveniente ver mucho la televisión? Razona tu respuesta.

situaciones

 • Se te estropea la televisión cuando estás en la parte más emocionante de una película. ¿Qué haces?

 • Estás viendo un programa en que hay demasiada violencia. ¿Cómo actúas?

 • Estás en casa de unos amigos y proponen ver la televisión. ¿Qué opinas? ¿Prefieres verla o hablar con ellos?

comprueba lo
que sabes

Entre toda la programación selecciona lo que vas a ver este fin de semana y en qué cadena. Quieres una película, una serie, un programa informativo, algún programa de deporte y, ¡cómo no!, algún reportaje sobre la naturaleza.

PAIS, jueves 16 de noviembre de 2000

TVE-1

15.00 Telediario 1.
15.30 El tiempo.
15.35 Sesión de tarde. *Águila de acero*. (Scope. Estéreo. Teletexto. Mayores de 7 años.)
17.55 Cine de oro. *Duelo de titanes*. Wyatt Earp, el famoso y solitario sheriff de Dodge City, persigue a unos pistoleros cuando salva de un linchamiento a John Doc Holliday, un dentista jugador, borracho, tuberculoso y excelente tirador. (Teletexto. Todos los públicos.)
20.25 Waku-Waku. Programa sobre animales. Los reportajes versarán sobre los delfines y los monos langures en la India.
21.00 Telediario 2.
21.35 El tiempo.
21.40 La película de la semana: *El nuevo kárate kid*. (Scope Mayores de 12 años.)
23.50 Especial cine. *A los ojos de un extraño*. (Dual. Mayores de 7 años.)
2.30 Noticias.
2.35 Cine de madrugada: *Hijos de un dios menor*.

Antena 3

15.00 Noticias del fin de semana.
15.30 El tiempo.
15.35 Cine.
17.30 *Rex, un policía diferente*.
19.50 Espejo público. Informativo semanal que ofrecerá, entre otros, un reportaje sobre la trata de esclavos.
21.00 Noticias del fin de semana. (Incluye información deportiva.)
21.30 *La casa de los líos*. "Su primer asesinato". Arturo se ha citado con el marqués de Montenegro en el restaurante de Pilar. Cuando va a empezar a contarle el caso, cae muerto por una puñalada en la espalda.
23.00 Lo que necesitas es amor. Programa especial, con las actuaciones musicales de Laura Pausini y el grupo Camela.
1.10 La parodia nacional. (repetición).
2.55 Cine. *Río sin retorno*. Tras salir de la cárcel y establecerse en un pequeño rancho, Carder se reúne con su hijo. Un día tienen que auxiliar a una lancha en la que viajan Kay y su novio, un jugador de poca monta que desea llegar cuanto antes a Council City.

TELE 5

14.30 Informativos Telecinco.
15.15 Caiga quien caiga.
16.25 Cine fin de semana. *Traición de patriotas*. Nick James, un joven conductor de taxis, se encuentra ante un serio problema. Un sádico criminal secuestra a su esposa, siendo Nick el conductor del coche con el que el criminal pretende huir.
18.30 Colombo. Colombo grita al lobo.
20.30 Informativos Telecinco.
21.15 Serie. Siete vidas.
23.00 Cine. *La fuerza de la sangre*. Zack Grant, un agente del FBI, presencia cómo Seiko, una compañera novata suya, se suicida tras asesinar a cinco delincuentes.
1.00 Series de oro. Patrulla de asfalto.
1.45 Cine clásico. *Bullit*. Un detective de policía recibe el encargo de custodiar al testigo de un asesinato cuya vida se encuentra seriamente amenazada.
3.35 Infocomerciales.
4.30 Frontón.

capítulo 17

Los bancos

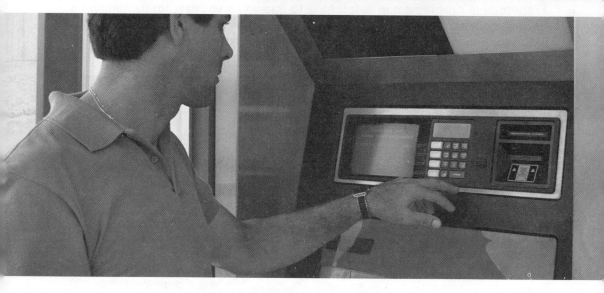

léxico ¿Cómo se dice en tu lengua?

SUSTANTIVOS

acciones (las)
....

ahorro (el)
....

aval (el/la)
....

balance (el)
....

beneficio (el)
....

bienes (los)
....

billete (el)
....

bono (el)
....

caja (la)
....

caja de ahorros (la)
....

cajero (el)
....

cajero automático (el)
....

cambio (el)
....

capital (el)
....

cartilla de ahorros (la),
la libreta de... (la)
....

Arg./Méx. **libreta de ahorros (la)**

cheque (el), talón (el)
....

Méx. **cheque**

cheque de viajes (el)
....

Arg. **cheque de viajero (el)**

cobro (el) ....

comisión (la) ....

crédito (el) ....

cuenta corriente (la) ....

depósito (el) ....

desembolso (el) ....

deuda (la) ....

devaluación (la) ....

divisa (la) ....

domiciliación (la) ....
Arg./Méx **domicilio (el)**

extracto (el) ....

firma (la) ....

fondo de pensiones (el),
plan de... (el) ....
Arg. **jubilación privada (la)**

ganancia (la) ....

garantía (la) ....

gasto (el) ....

giro (el) ....

hipoteca (la) ....

impreso (el) ....

ingreso (el) ....

interés (el) ....

inversión (la) ....

letra (la) ....
Arg. **pagaré (el)**

moneda (la) ....

nómina (la) ....

pago (el) ....

pérdidas (las) ....

precio (el) ....

préstamo (el) ....

recibo (el) ....

reintegro (el) ....

resguardo (el) ....

saldo (el) ....

sucursal (la) ....

sueldo (el) ....

talón [1] (el) ....

talonario (el) ....

tanto por ciento (el) ....

tarjeta de crédito (la) ....

tipo de interés (el) ....

transferencia (la) ....

valor (el) ....

valoración (la) ....

ventanilla (la) ....

ADJETIVOS

arriesgado /a ....

bancario /a ....

benéfico/a ....

[1] Véase *cheque.*

léxico

decimal ....

en metálico, en efectivo ....
Arg./Méx. **efectivo**

equivalente ....

exacto/a ....

extranjero/a ....

falso/a ....

fijo (tipo de interés) ....

ilegal ....

intransferible ....

legal ....

nacional ....

rentable ....

seguro/a ....

transferible ....

variable (tipo de interés) ....

VERBOS

abrir una cuenta ....

ahorrar ....

cambiar ....

cancelar ....

cargar ....

circular ....

cobrar ....

contar ....

deducir ....

derrochar ....

domiciliar ....

emitir ....

equivaler ....

estar en números rojos ....

falsificar ....

financiar ....

gastar ....

hipotecar ....

ingresar ....

invertir ....

oscilar ....

pagar ....

pagar al contado ....

pagar con tarjeta ....

pagar en metálico, efectivo ....
Méx. **pagar en efectivo**

prestar ....

recibir ....

sacar ....

sumar ....

tener un descubierto ....

transferir ....

valer ....

ventanilla (la) ....

ejercicios

a Di cinco palabras del vocabulario relacionadas con gestiones que realizas normalmente en un banco, cinco relacionadas con el dinero y la acción de viajar y otras cinco que se refieren al hecho de comprar un piso con la ayuda de un banco.

....
....
....
....
....

b Completa las siguientes frases con el verbo más apropiado.

ingresar, pedir prestado, invertir, ahorrar, cambiar

1. Antes de viajar necesito .... el dinero por la moneda del país a donde voy.
2. Se me ha acabado todo el dinero; tengo que .... a mis padres.
3. Después de cobrar el sueldo, lo .... en el banco.
4. Para comprarme un coche nuevo debo .... un poco cada mes.
5. Tenemos mucho dinero; sería bueno .... en esa compañía.

c Señala la palabra que corresponde a cada definición o al término semejante.

1. herencia	a. Afán de poseer muchas cosas y no compartirlas.
2. vuelta	b. Bienes que alguien tiene.
3. factura	c. Agencia bancaria.
4. avaricia	d. Cualquier gestión que se realiza en el banco.
5. hucha	e. Dinero que se devuelve porque ha sobrado.
6. fortuna	f. Lugar donde se reúnen quienes compran y venden acciones.
7. Bolsa	g. Acción de anular.
8. sucursal	h. Bienes que se reciben cuando una persona muere.
9. operación bancaria	i. Objeto donde se guarda el dinero.
10. cancelar	j. Cuenta con el importe de productos o servicios adquiridos.

d Señala los antónimos y después escribe una frase.

riqueza	....	verdadero	....
ahorrar	....	ganancia	....
rechazar	....	derrochar	....
pérdida	....	conceder	....
falso	....	pobreza	....

ejercicios

Di los sustantivos asociados con estos verbos.

hipotecar, transferir, prestar, ingresar, domiciliar, cancelar

....

....

f

¿De qué palabra se trata? Completa con las consonantes que faltan. Todas las palabras están en el vocabulario.

_ a _ i _ a _	Conjunto de dinero que uno tiene.
i _ _ _ e _ o	Papel que debe rellenar.
_ e _ _ a _ i _ _ a	Lugar donde un empleado atiende.
_ a _ e _ o	En el banco, persona que da y cobra dinero.
_ i _ _ e _ e	Dinero en papel.
_ i _ _ a	Indica el nombre de una persona.

expresionario

De dineros y bondad, quita siempre la mitad

- Sus amigos dicen que es más rico que el presidente del gobierno.
+ ¡No te fíes! De dineros y bondad quita siempre la mitad.

Poderoso caballero es don dinero

- A mí no me venden una finca en el campo porque está prohibido construir en esa zona. Sin embargo, el señor más rico del pueblo se ha comprado una. ¡No hay derecho!
+ Es normal, ya sabes: *poderoso caballero es don dinero*.

Hay quien guarda el dinero "en un calcetín" o "debajo de un ladrillo", sin embargo la mayoría lo deposita en el banco. ¿Sabes qué significan estas expresiones relacionadas con el dinero?

1. En metálico.
2. Un cheque al portador.
3. Firmar un talón sin fondos.
4. Estar en bancarrota.
5. Estar en números rojos. / No tener saldo.
6. Hacerse millonario.
7. Pedir un crédito / préstamo.
8. Pedir un extracto de la cuenta.

Si utilizas el participio de los verbos "agradecer", "pagar" y "olvidar", y los ordenas adecuadamente, obtendrás un refrán que te advierte sobre el riesgo del préstamo.

Lo .... ni .... ni ....

¡vamos a hablar!

¿Has invertido alguna vez en acciones o piensas hacerlo? ¿Te parece interesante? ¿Por qué?

¿Tienes una cuenta corriente o una cartilla de ahorros? ¿Por qué? ¿Cuál te parece más interesante?

¿Has tenido problemas en el banco? ¿Cuáles eran?

¿Has recibido un giro últimamente? ¿De quién era? ¿Para qué necesitabas el dinero?

¿Has solicitado algún préstamo en el banco? ¿Para qué?

¿Prefieres sacar de una vez mucho dinero para todo el mes o hacerlo de forma asidua, en cantidades pequeñas? ¿Por qué?

Cuando vas de viaje, ¿llevas el dinero en metálico o prefieres llevar cheques?

¿Tienes tarjetas de crédito? ¿Cuáles? ¿Te parecen importantes? ¿Para qué las usas?

En tu opinión, ¿es muy importante el dinero? ¿Por qué?

Si ganaras muchos millones en la lotería, ¿qué harías con ese dinero? ¿Cuáles serían tus planes?

situaciones

 • "¿Cuánto dinero necesita y para qué lo desea?" te pregunta el director del banco al que le estás pidiendo un crédito. Responde indicando el uso que vas a darle.

 • Un amigo te pide bastante dinero prestado. ¿Qué haces? ¿Se lo prestas?

 • Estás en el extranjero y te has quedado sin dinero. ¿Cómo actúas?

 • Vas paseando por el parque y te encuentras 50.000 pesetas, ¿cuál sería tu reacción?

comprueba lo
que sabes

A. QUIERES HACER UNA BUENA INVERSIÓN, ¿POR QUÉ ELEGIRÍAS "AHORRO SEGURO 5"?

B. ESTÁS DECIDIDO A COMPRARTE UN PISO, ¿QUÉ VENTAJAS TE OFRECE LA HIPOTECA DEL BANCO DE ESTE ANUNCIO? ¿VES ALGUNA DESVENTAJA?

Rentabilidad
Con Ahorro Seguro 5 podrá obtener **una rentabilidad superior al 14%**(*), más una participación en beneficios del 90%.

Seguridad
Ahorro Seguro 5 le garantiza el 100% del capital invertido, más el interés técnico pactado y un 90% de la participación en los beneficios obtenidos.

Con Ahorro Seguro 5, batirá todos los récords.

Caja Madrid Vida, S.A. de Seguros y Reaseguros.

(*) La revalorización total de la prima de 1.000.000 de pesetas para un varón de 45 años al final del periodo es de un 14,19%. El tipo de interés técnico garantizado anual es de un 3%.

☎ 901 10 20 30
www.cajamadrid.es

HIPOTECA A INTERÉS VARIABLE

Con domiciliación de nómina

Antes de compartir piso con cualquiera, pida referencias:

MIBOR* + 0,75%
REVISIÓN ANUAL DE INTERESES

*Mibor medio a un año del mes anterior publicado en el B.O.E., redondeado al alza a múltiplo de 0,05%.

**T.A.E. calculada para un préstamo de 12 años con un interés nominal del 4,25% el primer año, tomando como referencia el último Mibor publicado: 3,240% en Diciembre del 98.

0% EN LA COMISIÓN DE APERTURA

4,12% T.A.E.**

OFICINA DIRECTA
Banco Pastor

Contratación exclusivamente por teléfono
902 330 330

138

capítulo 18

Las **fiestas**

léxico ¿Cómo se dice en tu lengua?

SUSTANTIVOS

adornos (los) ....

alegría (la) ....

aniversario (el) ....

Año Nuevo (el) ....

árbol de Navidad (el) ....

artículos de broma (los) ....
  Arg. **cachadas (las)**

banderitas (las) ....

bromas (las) ....

cabalgata (la) ....
  Arg./Méx. **desfile (el)**

careta (la) ....

carnaval (el) ....

carrozas (las) ....

carrusel (el) ....
  Arg. **calesita (la)**

casetas (las) ....
  Arg. **kiosco (el)**
  Méx. **puesto (el)**

celebración (la) ....

cohetes (los) ....

comitiva (la) ....

comparsa (la) ....

concurso (el) ....

corrida (la) ....

cotillón * (el) ....

cumpleaños (el) ....

desfile (el) ....

día de los Inocentes (el) ....

día de Reyes (el) ....

día de Todos los Santos (el) ....

disfraz (el) ....

encierro * (el) ....

* Término sin equivalente en Argentina por no existir el concepto al que designa.

léxico

Fallas (las) ....

felicitación (la) ....

feria (la) ....

Feria de abril (la) ....

Fiestas de San Fermín (las) ....

fuegos artificiales (los) ....

guirnaldas (las) ....

marioneta (la) ....

máscara (la) ....

nacimiento (el), pesebre (el) ....
  Arg. **pesebre**

Navidad (la) ....

Nochevieja (la) ....

ocio (el) ....

parque de atracciones (el)
  Arg./Méx. **parque de** ....
  diversiones (el)

parque temático (el) ....

patrón (el) ....

peña (la) ....

petardos (los)
  Méx. **cohetes (los)** ....

pregón * (el) ....

procesión (la) ....

regalo (el) ....

rifa (la) ....

romería * (la) ....

saeta * (la) ....

santo (el) ....

Semana Santa (la) ....

serpentina (la) ....

tarjetas de Navidad (las) ....

tómbola (la)
  Arg. **lotería (la)** ....

verbena * (la) ....

villancico (el) ....

ADJETIVOS

afortunado/a ....

alegre ....

ceremonioso/a ....

colorido/a ....

divertido/a ....

familiar ....

feliz ....

festivo/a ....

folclórico/a ....

gracioso/a ....

luminoso/a ....

multitudinario/a ....

nacional ....

original ....

popular ....

profano/a ....

religioso/a ....

ruidoso/a ....

VERBOS

adornar ....

brindar ....

celebrar ....

dar la enhorabuena ....

desfilar ....

disfrazarse ....

divertirse ....

felicitar ....

festejar ....

iluminar ....

invitar ....

participar ....

preparar ....

recibir ....

regalar ....

rifar ....

soplar las velas ....

tirar de las orejas ....

torear * ....

---

* Términos sin equivalente en Argentina por no existir el concepto
   al que designan.

* Término sin equivalente en Argentina por no existir el concepto
   al que designa.

ejercicios

a

Escoje del vocabulario cinco palabras relacionadas con las fiestas navideñas, cinco relacionadas con el carnaval y otras cinco con actividades festivas en general.

....
....
....
....
....

b

Completa las frases con el verbo más apropiado.

celebrar, envolver, enviar, disfrazarse, adornar

1. El Ayuntamiento, durante la Navidad, ... todas las calles de la ciudad.
2. Antes de poner los regalos junto al árbol, los .... en papeles bonitos.
3. Todos los años .... tarjetas de Navidad a toda mi familia.
4. En carnavales pienso .... de Drácula.
5. El día 25 de diciembre se .... la Navidad.

c

Escribe frases con los siguientes grupos de palabras.

sellos / tarjetas de Navidad   ....
envolver / día de Reyes   ....
fuegos artificiales / verbena   ....
concurso / atracción   ....
ocio / parque de atracciones   ....
fiesta / disfraz   ....

d

Escoge la palabra más apropiada (y modifícala si es necesario) para completar la frase.

Nacimiento, aniversario, procesiones, disfraz, cabalgata, feria, careta, villancicos, tómbola, corridas

1. Las canciones navideñas se llaman ....
2. Todos los años se celebra el .... de la fundación de nuestra ciudad.
3. En carnaval es normal ponerse una ....
4. El día antes de Reyes hay una ....
5. No te reconocí con el .... y por eso me di un susto.
6. Esta Navidad hemos puesto el .... junto al árbol.
7. En Semana Santa son muy famosas las .... españolas.
8. En la .... de mi pueblo hay muchas atracciones y una ....
9. Durante las fiestas de San Fermín son muy famosas las ....

ejercicios

Relaciona las dos columnas.

1. enviar	a. dar
2. comenzar	b. mandar
3. entregar	c. empezar
4. adornar	d. festejar
5. celebrar	e. decorar

¿Eres capaz de seguir este calendario? Completa con el nombre apropiado de cada fiesta.

> *Todos los Santos, Fallas, Año Nuevo, Feria de abril, Carnavales, Sanfermines*

Comenzamos el año el 1 de enero, día de ....; nos disfrazamos para ir a los .... de Cádiz; el 19 de marzo no faltaremos a las .... de Valencia. En Sevilla estaremos para la ....; el 7 de julio no hay que perderse los .... Por fin descansaremos en casa el 1 de noviembre, día de ....

expresionario

- ¿Cómo se diría en tu idioma "¡Que cumplas muchos años!" o "Te deseamos muchas felicidades"?

- Todo el mundo de mi trabajo está de acuerdo en hacer puente. ¿Sabes qué quiere decir la expresión "hacer puente"?

- ¿Tú crees, como dice este dicho español, que "el ocio es negocio"? Explícalo.

- En España hay una fiesta que la celebramos tomando 12 uvas. ¿Sabes cuál es?

    - Carnaval.
    - El día de cumpleaños.
    - Nochevieja.
    - Semana Santa.

- Hay un día en que nos pueden tirar de las orejas. ¿Sabes qué día es?

    - El día de Todos los Santos.
    - El día de cumpleaños.
    - El día de Año Nuevo.
    - El día de Reyes.

¡vamos a hablar!

¿Celebras el carnaval? ¿Qué haces? ¿Te has disfrazado alguna vez? ¿De qué?

¿Cómo se divide, en general, el tiempo de trabajo y de ocio en tu país?

¿Hay un parque de atracciones o un parque temático cerca de donde vives? ¿Has estado alguna vez en uno de ellos? ¿Qué atracciones prefieres?

¿Te gustan las Navidades? ¿Ponen un árbol de Navidad en tu casa? ¿Quién lo adorna? ¿Cómo?

¿Qué haces el día de Navidad? ¿Se reúne tu familia? ¿Cuándo se dan los regalos?

¿Qué haces en Nochevieja? ¿Vas a casa de unos amigos o a comer en un restaurante? ¿Qué es lo que se hace generalmente en tu país?

¿Tienes vacaciones en Semana Santa? ¿Dónde vas?

¿Dais "inocentadas" en tu país? ¿Cuándo?

¿Hay alguna otra fiesta típica en tu país? Describe cómo es y cómo se celebra.

¿Cómo celebras normalmente el día de tu cumpleaños?

situaciones

 • Debes preparar la fiesta navideña en tu lugar de trabajo. ¿Cómo lo planeas?

 • Tienes poco dinero pero te gustaría comprar un regalo a cada miembro de tu familia. ¿Qué puedes hacer?

 • Te gastan una broma el día de los Inocentes. ¿Cómo reaccionas?

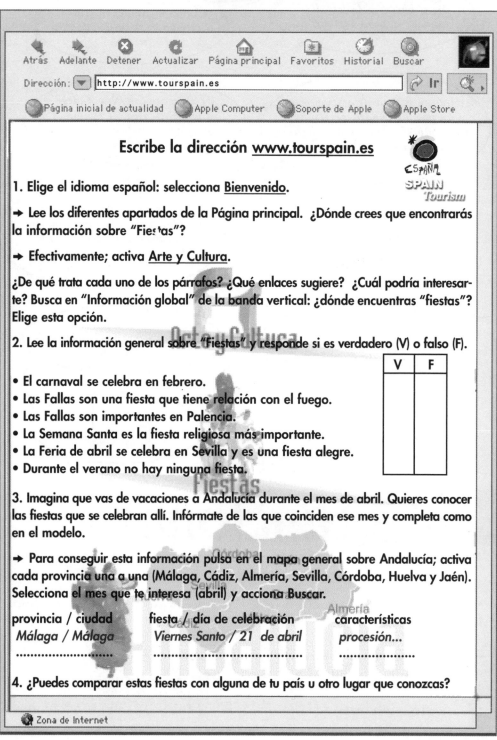

Atrás   Adelante   Detener   Actualizar   Página principal   Favoritos   Historial   Buscar

Dirección: ▼ http://www.tourspain.es   ⟳ Ir   🔍

🔵 Página inicial de actualidad   🔵 Apple Computer   🔵 Soporte de Apple   🔵 Apple Store

Escribe la dirección www.tourspain.es

1. Elige el idioma español: selecciona Bienvenido.

➜ **Lee los diferentes apartados de la Página principal. ¿Dónde crees que encontrarás la información sobre "Fiestas"?**

➜ **Efectivamente; activa Arte y Cultura.**

¿De qué trata cada uno de los párrafos? ¿Qué enlaces sugiere? ¿Cuál podría interesarte? Busca en "Información global" de la banda vertical: ¿dónde encuentras "fiestas"? Elige esta opción.

2. Lee la información general sobre "Fiestas" y responde si es verdadero (V) o falso (F).

	V	F
• El carnaval se celebra en febrero.		
• Las Fallas son una fiesta que tiene relación con el fuego.		
• Las Fallas son importantes en Palencia.		
• La Semana Santa es la fiesta religiosa más importante.		
• La Feria de abril se celebra en Sevilla y es una fiesta alegre.		
• Durante el verano no hay ninguna fiesta.		

3. Imagina que vas de vacaciones a Andalucía durante el mes de abril. Quieres conocer las fiestas que se celebran allí. Infórmate de las que coinciden ese mes y completa como en el modelo.

➜ **Para conseguir esta información pulsa en el mapa general sobre Andalucía; activa cada provincia una a una (Málaga, Cádiz, Almería, Sevilla, Córdoba, Huelva y Jaén). Selecciona el mes que te interesa (abril) y acciona Buscar.**

provincia / ciudad	fiesta / día de celebración	características
Málaga / Málaga	*Viernes Santo / 21 de abril*	*procesión...*
....	....	....

4. ¿Puedes comparar estas fiestas con alguna de tu país u otro lugar que conozcas?

🌐 Zona de Internet

capítulo 19

El orden público

léxico ¿Cómo se dice en tu lengua?

SUSTANTIVOS

abogado/a (el/la) ....

acusado/a (el/la) ....

agresión (la) ....

alarma (la) ....

alijo (el)
Arg./Méx. **alijo,** .... **contrabando (el)**

antecedentes (los) ....

arma (el) ....

asalto (el) ....

asesino/a (el/la) ....

atentado (el) ....

atracador/-a (el/la) ....
Arg./Méx. **asaltante (el)**

bala (la) ....

bomba (la) ....

botín (el) ....

cadena perpetua (la) ....

calabozo (el) ....

cárcel (la) ....

carné de conducir,
permiso de conducir (el)
Arg. **carnet de conductor (el)**
....
Méx. **licencia de manejo (la),**
permiso de conducir

145

léxico

carné de identidad (el)

Arg. *documento de identidad (el)* ....

Méx. *credencial de elector*

caso (el) ....

celda (la) ....

coartada (la) ....

comisaría (la)

Méx. *delegación de policía (la)* ....

cómplice (el/la) ....

condena (la) ....

contrabando [1] (el) ....

crimen (el) ....

culpabilidad (la) ....

defensa (la) ....

delincuente (el/la) ....

delito (el) ....

denuncia (la) ....

derechos (los) ....

desaparición (la) ....

detective (el/la) ....

detención (la) ....

detenido/a (el/la) ....

disparo (el) ....

documentación (la) ....

esposas (las) ....

explosión (la) ....

falsificación (la) ....

fianza (la) ....

fiscal (el/la) ....

fraude (el) ....

guardia (el/la) ....

herido/a (el/la) ....

homicidio (el) ....

huellas digitales (las) ....

indemnización (la) ....

informe (el) ....

infracción (la) ....

interrogatorio (el) ....

juez (el/la) ....

juicio (el) ....

jurado (el) ....

ladrón/ladrona (el/la) ....

legislación (la) ....

ley (la) ....

lucha (la) ....

pasaporte (el) ....

pena de muerte (la) ....

permiso de conducir [2] ....

persecución (la) ....

pistola (la) ....

policía (la) ....

preso/a (el/la) ....

prueba (la) ....

recompensa (la) ....

recurso (el) ....

registro (el) ....

reglamento (el) ....

rehén (el/la) ....

reincidencia (la) ....

rescate (el) ....

robo (el) ....

secuestro (el) ....

seguridad (la) ....

soborno (el) ....

sospechoso/a (el/la) ....

terrorismo (el) ....

testigo (el/la) ....

[1] Véase *alijo* en Arg. y Méx.

[2] Véase *carné de conducir.*

tiroteo (el) ....

traficante (el/la) ....

tribunal (el) ....

víctima (la) ....

violación (la) ....

ADJETIVOS

absuelto/a ....

acusado/a ....

armado/a ....

corrupto/a ....

culpable ....

desarmado/a ....

falso/a ....

ilegal ....

ilícito/a ....

injusto/a ....

inocente ....

insatisfactorio/a ....

íntegro/a ....

justo/a ....

legal ....

libre ....

lícito/a ....

oficial ....

peligroso/a ....

policiaco/a ....

provisional ....

responsable ....

secreto/a ....

sospechoso/a ....

VERBOS

absolver ....

acusar ....

administrar ....

amenazar ....

apuntar (con un arma) ....

asaltar ....

asesinar ....

condenar ....

culpar ....

declarar ....

defender ....

deliberar ....

denunciar ....

descubrir ....

desvalijar ....

detener ....

disparar ....

encarcelar ....

herir ....

impedir ....

indagar ....

indemnizar ....

investigar ....

juzgar ....

legalizar ....

liberar ....

matar ....

perseguir ....

prestar declaración ....

recompensar ....

registrar ....

rescatar ....

robar ....

secuestrar ....

sobornar ....

vigilar ....

ejercicios

a Escoge en el vocabulario seis palabras relacionadas con un juicio, cuatro que designen a personas que pueda buscar la policía y dos términos que indiquen documentos personales.

....
....
....
....

b Entre los siguientes verbos hay uno que no está relacionado con el vocabulario, ¿cuál es?

detener, matar, condenar, disparar, robar, herir, secuestrar, pedir auxilio, juzgar, medir, declarar, defender, acusar

c Identifica cada palabra con su definición o término semejante.

1. drogadicto
2. navaja
3. carterista
4. alarma
5. detective
6. recompensa
7. homicidio
8. nocivo
9. indemnización

a. Premio que se obtiene por hacer una buena acción.
b. Malo, perjudicial.
c. Acción de matar a una persona.
d. Pago a una persona por un daño que le han hecho.
e. Señal sonora o visual con que se avisa de un peligro.
f. Persona que consume drogas.
g. Objeto parecido a un cuchillo que se puede plegar en dos.
h. Persona que investiga asuntos o casos.
i. Ladrón de carteras.

d Indica sustantivos o verbos derivados de:

- declarar ....
- detener ....
- defender ....
- acusar ....
- secuestrar ....
- cárcel ....
- testigo ....
- condena ....
- persecución ....
- agresión ....

e Haz frases combinando las siguientes palabras.

- jurado / culpable ....
- testigo / declarar ....

ejercicios

- abogado defensor / fiscal ....
- secuestro / rehén ....
- sospechoso / detener ....
- huellas digitales / comisaría ....
- disparar / detective ....

f ¿Es verdadero o falso?

	V	F
1. Una persona que después de un juicio va a la cárcel es considerada inocente.	....	....
2. La fianza es el dinero que se paga para poder salir de la cárcel hasta que se celebre el juicio.	....	....
3. Las esposas, en medios policiales, significan las mujeres de los policías.	....	....
4. Una persona que está obligada a pasar toda su vida en la cárcel tiene una condena de cadena perpetua.	....	....
5. Una persona que ve cometer un delito es un testigo.	....	....

g **a.** ¿Sabes qué significa...?

- Tener libertad bajo fianza. / Libertad provisional.
- ¡Manos arriba! ¡Alto!
- Ser un chorizo. / Ser un caco.
- Estar caducado.
- Prestar declaración.
- Presentar una denuncia.

b. Por tanto, ¿qué expresión escogerías para completar estas frases?

1. Mi pasaporte no es válido desde el 1 de enero de 2002; tengo que renovarlo, porque ....
2. Su familia ha pagado 100.000 pesetas, por eso .... y no está en la cárcel.
3. Si quiere que la policía investigue el robo, tiene que ....
4. He tenido que .... porque fui testigo de un accidente.

expresionario

¿Sabrías explicar el significado de los siguientes enunciados y refranes?

1. Ser abogado de pleitos pobres.
2. Actuar como abogado del diablo.
3. El que roba a un ladrón tiene cien años de perdón.
4. La ocasión hace al ladrón.
5. Hecha la ley, hecha la trampa.
6. Piensa el ladrón que todos son de su condición.

¡vamos a hablar!

¿Has tenido que ir a la comisaría alguna vez? ¿Para qué?

¿Te ha detenido alguna vez la policía? ¿Por qué? ¿Conoces a alguien a quien hayan detenido?

¿Has sido testigo de un delito? Describe la situación.

¿Te han robado alguna vez en la calle? ¿Cómo fue?

¿Has visto algún juicio personalmente o en televisión? ¿De qué se trataba?

¿Tienes alarma en tu coche o en tu casa? ¿Ha sonado alguna vez? ¿Fue un error o había ladrones?

¿Qué piensas de los secuestradores?

¿Estás de acuerdo con la pena de muerte? Explica tu respuesta.

¿Qué opinas del consumo y tráfico de drogas?

¿Te gustaría ser juez, abogado, fiscal o policía? ¿Por qué sí o por qué no?

situaciones

- Llamas a la policía y dices: "He visto cometer un crimen". Continúa la narración.

- Vas en el metro y ves que un ladrón roba a una señora. ¿Cómo reaccionas?

- Llegas a tu casa y encuentras la puerta abierta. ¿Qué haces?

- Te han robado el pasaporte y todos tus documentos. Describe todas las gestiones que debes realizar.

comprueba lo
que sabes

Después de leer los textos podrás contestar a las preguntas.

Texto A. a. ¿A quién detuvo ayer la policía? ¿Por qué?
b. ¿Qué hizo el atracador para asustar a los empleados? ¿Qué armas llevaba?

Texto B. a. ¿Por qué redujo la pena el fiscal? b. ¿Qué delito se había cometido?

Texto A.

La policía detiene al atracador de un banco que había tomado rehenes

F.J.B. **Madrid**

La policía detuvo ayer a un ladrón de unos 35 años que entró a robar sobre las once de la mañana en una sucursal del Banco Pastor, en la calle de Cedaceros, junto a la calle de Alcalá. El detenido iba armado con un revólver y un cuchillo. En su desesperación tomó como rehenes a dos de los ocho empleados de la entidad. El delincuente exigió que le entregaran todo el dinero. Para atemorizar a los ocho empleados y a los clientes que había en la sucursal, cogió a una trabajadora y la encañonó, a la vez que mantenía el cuchillo a la espalda.

Después tomó un segundo rehén, también trabajador del banco. Uno de los guardas jurados activó el cierre de la sucursal. Mientras, el otro vigilante intentó reducir al ladrón, quien reaccionó amenazando con matar a la mujer a la que tenía retenida.

La policía rodeó la sucursal con una veintena de agentes y seis coches. Desde fuera, pidieron al atracador que desistiese de su intento y que se entregase sin causar heridos, a lo que accedió.

Texto B.

El jurado absuelve por legítima defensa al padre acusado de matar a un hijo

EL PAIS

El fiscal rebajó durante la vista oral celebrada ayer su petición inicial para el acusado de 10 años de cárcel, a dos, por un delito de homicidio. El fiscal entendió que concurría legítima defensa, aunque de una manera desproporcionada, pues pudo utilizar otros medios de protección, señaló.

Sin embargo, el jurado popular entiende que en el momento de la agresión el acusado no podía "escoger otro medio menos dañino", ni "dirigir el golpe hacia otra zona del cuerpo", ni "golpear con menos fuerza". Una vez escuchado el veredicto, el fiscal solicitó la absolución del procesado, petición a la que se sumó la defensa.

Otros dos trabajadores pierden la

capítulo 20

La enseñanza

léxico ¿Cómo se dice en tu lengua?

SUSTANTIVOS

alumno/a (el/la)

antropología (la)

aprobado (el)

apuntes (los)

archivador (el)

> Arg. *fichero (el)*
>
> Méx. *archivero (el)*

aritmética (la)

arqueología (la)

arquitectura (la)

arte (el)

asignatura (la)

asistencia (la)

astrología (la)

astronomía (la)

aula (el)

> Méx. *salón de clases (el)*

bachillerato (el)

beca (la)

biología (la)

bolígrafo (el)

> Arg. *birome (la),*
> *lapicera (la)*
>
> Méx. *pluma (la)*

botánica (la)

carpeta (la)

léxico

cartera (la) ....
> Méx. **portafolio(s) (el)**

catedrático/a [1] (el/la) ....

ciencias ambientales (las) ....

ciencias de la
educación (las) ....

ciencias económicas y
empresariales (las) ....

ciencias exactas (las) ....

ciencias físicas (las) ....

ciencias naturales (las) ....

ciencias políticas (las) ....

ciencias químicas (las) ....

ciencias sociales (las) ....

colegio (el) ....
> Méx. **colegio** [2]

colegio mayor (el) ....

compañero/a (el/la) ....

compás (el) ....

conocimiento (el) ....

convocatoria (la) ....

cuaderno (el) ....

curso (el) ....

deberes (los) ....
> Méx. **tarea (la)**

definición (la) ....

derecho (el) ....

diapositiva (la) ....

dibujo (el) ....

diccionario (el) ....

diplomado/a (el/la) ....

diplomatura (la) ....
> Méx. **diplomado (el)**

diseño (el) ....

doctorado (el) ....

economía (la) ....

educación física (la) ....

educación infantil (la) ....

educación primaria (la) ....

educación secundaria (la) ....

escuela (la) ....
> Méx. **escuela** [3]

escultura (la) ....

especialidad (la) ....

estuche (el) ....

examen (el) ....

facultad (la) ....

filología (la) ....

filosofía (la) ....

física (la) ....

folio (el) ....
> Arg./Méx. **hoja (la)**

formación profesional (la) ....

geografía (la) ....

geología (la) ....

gimnasio (el) ....

goma (la) ....

gramática (la) ....

guardería (la) ....

historia (la) ....

horario (el) ....

idioma (el) ....

informática (la) ....

ingeniería (la) ....

instituto (el) ....

internado (el) ....

[1] Sin equivalencia en Arg.
[2] En México, "colegio" se emplea para denominar a los centros de enseñanza privada.

[3] En México, "escuela" se emplea para denominar a los centros de enseñanza pública.

léxico

laboratorio (el) ....

lengua (la) ....

lápiz (el) ....

libro (el) ....

licenciatura (la) ....

lingüística (la) ....

literatura (la) ....

maestro/a (el/la) ....

mapa (el) ....

matemáticas (las) ....

matrícula (la)

  Arg. *inscripción (la), matrícula* ....

  Méx. *inscripción*

matrícula de honor (la)

  Arg./Méx. *cuadro de honor* ....

medicina (la) ....

medios audiovisuales (los) ....

método (el) ....

notable [4] (el) ....

notas (las) ....

observatorio (el) ....

pedagogía (la) ....

periodismo (el) ....

pintura (la) ....

pizarra (la)

  Arg. *pizarra, pizarrón (el)* ....

  Méx. *pizarrón*

pluma [5] (la)

  Méx. *pluma fuente (la)* ....

prácticas (las) ....

profesor/-a (el/la) ....

profesor/-a interino/a (el/la) ....

[4] Sin equivalencia en Argentina y en México.
[5] Véase *bolígrafo* en Méx.

profesor/-a titular (el/la) ....

psicología (la) ....

publicidad (la) ....

química (la) ....

recreo (el) ....

regla (la) ....

rotulador (el)

  Arg. *fibra* ....

sacapuntas (el) ....

secretaría (la) ....

sobresaliente (el) ....

sociología (la) ....

suspenso (el)

  Arg. *aplazo (el)* ....

  Méx. *aplazado (el)*

tesina (la) ....

tesis (la) ....

texto (el) ....

título (el) ....

tiza (la)

  Méx. *gis (el)* ....

universidad (la) ....

ADJETIVOS

científico/a ....

correcto/a ....

culto/a ....

difícil ....

escrito/a ....

fácil ....

histórico/a ....

imparcial ....

léxico

incorrecto/a ....

internacional ....

invariable ....

literario/a ....

obligatorio/a ....

optativo/a ....

oral ....

parcial ....

práctico/a ....

profesional ....

superior ....

suplente ....

técnico/a ....

tecnológico/a ....

teórico/a ....

VERBOS

analizar ....

aprender ....

asistir ....

borrar ....

calcular ....

comentar ....

conocer ....

copiar ....

corregir ....

demostrar ....

educar ....

enseñar ....

escribir ....

estudiar ....

examinar(se) ....

explicar ....

exponer ....

hacer un curso
Méx. **tomar un curso** ....

investigar ....

licenciar (se)
Arg. /Méx. **recibirse de licenciado** ....

matricular (se)
Arg. **inscribirse, matricularse**
Méx. **inscribirse** ....

memorizar ....

observar ....

obtener ....

olvidar ....

preguntar ....

pronunciar ....

redactar ....

repasar ....

repetir (curso) ....

resolver ....

responder ....

resumir ....

señalar ....

subrayar ....

suspender ....

155

a

a. Escoge entre las palabras del vocabulario cuatro asignaturas que normalmente se estudian en la enseñanza secundaria.

....

....

....

....

b. También di qué carrera debes estudiar si quieres ser...

• abogado ....
• una persona que examina el comportamiento humano ....
• una persona que examina la sociedad ....
• una persona que examina las relaciones internacionales ....
• una persona que diseña casas ....
• una persona que estudia la descripción física de un país: montañas, ríos, etc. ....

Señala la palabra que corresponde a cada definición o al término semejante.

1. calculadora	a. Reproducir de la misma manera algo.
2. beca	b. Resultado muy bueno de una acción.
3. tesis	c. Director de cada facultad en la universidad.
4. estuche	d. Sujeción a normas de comportamiento.
5. redacción	e. Estudio especializado y de postgrado sobre algún tema.
6. copiar	f. Inteligente o astuto.
7. decano	g. Ejercicio escrito de narrar o describir.
8. disciplina	h. Máquina para efectuar operaciones matemáticas.
9. éxito	i. Ayuda que se concede para realizar estudios.
10. listo	j. Objeto que sirve para guardar los lápiceros, bolígrafos...

Relaciona las dos columnas.

1. profesor	a. prueba
2. deberes	b. alumno
3. apuntes	c. docencia
4. estudiante	d. notas de clase
5. enseñanza	e. maestro
6. examen	f. tarea

ejercicios

Asocia estas palabras con las correspondientes asignaturas.

1. teorema	a. literatura
2. conjunción	b. química
3. ensayo	c. geografía
4. silogismo	d. matemáticas
5. atlas	e. historia
6. microscopio	f. filosofía
7. carbono	g. gramática
8. Edad Media	h. biología

Has hecho varios exámenes en España. Indica la palabra adecuada para tus califi-caciones: suspenso, aprobado, notable, sobresaliente.

Has obtenido...

4 ....
6 ....
7 ....
9 ....
2 ....
10 ....

f

Completa las siguientes frases con el verbo más adecuado.

asistir, matricular, explicar, admitir, aprender

1. Ese profesor .... muy bien la filosofía.
2. Este año me .... en tercero de Económicas.
3. Para aprobar es necesario .... a clase todos los días.
4. El viernes tengo un examen de francés. Debo .... los verbos irregulares.
5. Hay que tener muy buenas calificaciones para que te .... en esa uni-versidad.

¿De qué palabra se trata? Todas están en el vocabulario y solamente faltan conso-nantes.

_ o _ _ a _ e _ o	Persona que va a la misma clase.
_ i _ e _ _ i a _ u _ a	Título universitario.
_ i o _ o _ í a	Estudio de los seres vivos.
_ _ a _ á _ i _ a	Normas de una lengua.
_ a _ o _ a _ o _ i o	Lugar en donde se hacen experimentos.

👄 **Infórmate sobre el significado de...**

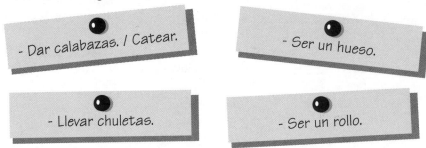

- Dar calabazas. / Catear.

- Ser un hueso.

- Llevar chuletas.

- Ser un rollo.

👄 **Ahora escoge entre las dos opciones la que da el significado correcto.**

1. *El profesor de francés es un hueso.*

   a. El profesor de francés está muy delgado.
   b. El profesor de francés es muy duro con los alumnos.

2. *Me han dado calabazas en este curso.*

   a. He suspendido varias asignaturas.
   b. Me han regalado calabazas para hacer una tarta.

3. *Llevo los bolsillos llenos de chuletas.*

   a. Tengo notas o apuntes para copiar en el examen.
   b. Tengo chuletas a la plancha para comer.

4. *El curso de lengua es un rollo.*

   a. El curso de lengua es muy largo.
   b. El curso de lengua es aburrido.

👄 **Y ahora, hablando de letras, ¿qué quiere decir...?**

- Al pie de la letra.

  ....

- Escribir cuatro letras.

  ....

- La letra con sangre entra.

  ....

👄 **¿Estás de acuerdo con la última expresión?**

  ....
  ....

¡vamos a hablar!

¿Crees que es mejor la enseñanza pública o la privada? Razona tu respuesta.

¿Qué asignaturas te parecen más importantes? ¿Por qué?

En la enseñanza secundaria, ¿qué asignaturas te gustaban más? ¿Y menos? ¿Por qué?

¿Estudias o piensas ir a alguna universidad? ¿Qué carrera estudias o quieres estudiar? ¿Por qué?

¿Cómo es el sistema de enseñanza en tu país? ¿Cuántos años dura? ¿Es obligatorio?

¿Has dado clase alguna vez? ¿Te gusta enseñar? ¿Tienes algún amigo o familiar que sea profesor?

¿Has vivido o vives en algún colegio mayor? ¿Cómo es o era la vida allí?

¿Te han suspendido alguna vez? ¿Por qué? ¿Quién crees, en general, que tiene la culpa?

¿Qué opinas del hecho de copiar en los exámenes?

¿Te gusta enseñar? ¿Tienes algún amigo o familiar que sea profesor?

situaciones

 • Después de haber pasado tres meses estudiando en España, tus padres te preguntan: "¿Aprobado o suspenso en español?" ¿Qué respondes? Justifícalo.

 • Estás haciendo un examen para obtener un trabajo y ves que un compañero está copiando. ¿Cómo reaccionas?

 • No entiendes nada de las explicaciones del profesor. ¿Qué haces? ¿Qué le dices?

 • Trabajas en un colegio. ¿Qué cosas cambiarías?

Lee el texto acerca de SAINT LOUIS UNIVERSITY en Madrid.

a. Dentro de la Facultad de Sanidad, ¿qué carrera te gustaría estudiar? ¿Por qué?

b. ¿Y en la Facultad de Artes y Letras?

c. ¿Qué ingeniería preferirías estudiar?

d. ¿Por qué cualquier estudiante podría estudiar en esta universidad?

e. ¿Puedes enumerar algunas ventajas del sistema americano?

Carreras

Facultad de Económicas y Empresariales

Análisis y Gestión de Operaciones
Contabilidad
Dirección de Empresas
Economía
Finanzas
Gestión de Empresas Globales
Informática de Gestión
Ingeniería Empresarial
Marketing

Facultad de Ciencias

Biología
Física
Geología
Geofísica
Informática
Matemáticas
Meteorología
Pre-odontología
Pre-medicina
Química

Facultad de Ingeniería/Aeronáutica

Administración Aeronáutica
Avionics (Electrónica de la Aeronáutica)
Bioingeniería
Ciencia Aeronáutica
Ciencia de la Aviación (Piloto Profesional)
Gestión del Mantenimiento de Aviones
Informática Aplicada
Ingeniería Aeroespacial
Ingeniería del Mantenimiento de Aviones
Ingeniería Eléctrica
Ingeniería Informática de Software
Ingeniería Mecánica
Meteorología Aeronáutica

Facultad de Comunicaciones

Ciencias de la Comunicación
Logopedia

Periodismo
Publicidad

Facultad de Sanidad

Asistente Técnico Sanitario
Enfermería
Fisioterapia
Gestión de la Información Sanitaria
Tecnología Médica
Tecnología de la Medicina Nuclear
Terapia Ocupacional

Facultad de Artes y Letras

Bellas Artes
Ciencia Política
Criminología
Educación
Educación Especial
Educación Infantil
Estudios Americanos
Estudios de la Mujer
Estudios Urbanos

Estudios de Rusia y de la Europa Oriental
Filología Alemana
Filología Hispánica
Filología Griega
Filología Inglesa
Filología Latina
Filología Rusa
Filosofía
Historia
Historia del Arte
Humanidades Clásicas
Informática
Música
Psicología
Sociología
Teatro
Teología
Trabajo Social

... y más!

Asequible

Nuestro amplio programa de becas posibilita que cualquier estudiante capacitado pueda acceder a Saint Louis University. Las becas se otorgan para tus estudios en España y EE UU.

Actualizada

Los últimos avances en todas las ciencias, las artes y las humanidades estarán a tu alcance por medio de modernos laboratorios, amplias colecciones especializadas en una biblioteca moderna y la enseñanza de profesores formados en las más prestigiosas universidades norteamericanas y europeas.

Única

Disfrutarás de las ventajas del sistema académico norteamericano: flexibilidad en la elección de asignaturas, profesores y horario; clases reducidas (en Madrid la media de alumnos por clase es de 15); trato personalizado con profesores, asesores y tutores; actividades extra-curriculares; etc.

University.
MO. EE UU

claves

Capítulo 1:

[b] 1. saboreas, 2. veo, 3. olemos, 4. toca, 5. oís. [c] 1. c, 2. d, 3. a, 4. e, 5. b. [d] gordo/grueso, hablador, izquierda, tranquilo, bajo, moreno, adelgazar, sentarse. [e] a apagar. b 1. b, 2. c, 3. a. [f] cuello, muñeca, estómago, piel, frente, hombros.

Capítulo 2:

[b] 1. pelo, 2. cuece, 3. limpia, 4. echas, 5. compramos. [c] 1. c, 2. g, 3. j, 4. i, 5. e, 6. b, 7. f, 8. d, 9. a, 10. h. [d] a. 5, b. 2, c. 4, d. 1, e. 7, f. 3, g. 8, h. 6. [e] 1. V, 2. F, 3. V, 4. V, 5. F, 6. V. [f] 1. harina, 2. empalagoso, 3. mermelada, 4. sopa, 5. ácido, 6. churros, 7. yema, 8. espesa, 9. marisco, 10. carne picada. [g] b 1. a, 2. c, 3. b, 4. c, 5. a, 6. b. [h] a. pechuga, muslo; b. filetes, chuletas; c. lonchas, rodajas; d. costillas; e. solomillo.

Capítulo 3:

[a] 1. marido, mujer; 2. hijos, hija, hijo; 3. madre, padre; 4. hermana; 5. nietos, abuelos; 6. tío; 7. sobrina, sobrino; 8. primos; 9. suegro, suegra; 10. yerno, nuera, cuñadas. [b] 1. soltera, 2. casada, 3. viuda, 4. separada, 5. divorciada. [c] 1. en, desde; 2. con; 3. por, a; 4. para, de; 5. de, entre. [d] 1. suegro, 2. huérfana, 3. ahijado, 4. sobrino, 5. nuera. [e] 1. boda, 2. yerno, 3. bendecir, 4. por lo civil, 5. parientes, 6. familia numerosa, 7. declararse, 8. bautizar, 9. adoptar, 10. marido. [f] a separación, declaración, bautizo, casamiento, anulación, adopción; b casamiento, boda. c Mujer: opuesto a hombre; mujer como esposa; mujer con valor exclamativo.

Capítulo 4:

[a] b a. 4, b. 2, c. 5, d. 1, e. 3. [b] 1. c, 2. d, 3. a, 4. b. [c] b en unos grandes almacenes. [d] 1. b, 2. c, 3. a, 4. d, 5. e. [e] llevar, escoger, vestirse, desteñir, mirarse, arrugar, ponerse, quitarse, probarse.

Capítulo 5:

[b] 1. llueve, 2. hiela, 3. nieve, 4. graniza. [c] a húmedo, desértico, soleado. b ventoso, lluvioso, florido, hermoso. [d] 1. V, 2. V, 3. F, 4. F, 5. V. [e] 1. nubes, 2. rocío, 3. brisa, 4. trueno, 5. pronóstico, 6. marea, 7. arco iris, 8. tormenta, 9. granizo, 10. meteorología. [f] inundar, inundado, tronar, predecir, calentar, caliente, caluroso, enfriar.

Capítulo 6:

[c] cocina, cuarto de baño; cocina; cuarto de baño, cocina; cuarto de baño; dormitorio. [d] 1. colgar, 2. construir, 3. amueblar, 4. ha diseñado. [e] 1. f, 2. a, 3. d, 4. g, 5. b, 6. c, 7. e.

Capítulo 7:

[b] 1. c, 2. d, 3. e, 4. b, 5. a. [c] 1. grabaron, 2. afinan, 3. toca, 4. aplaudió, 5. interpretó. [d] grabación, melódico, melodioso, instrumental, discografía, rítmica, ensayo, actuar, composición, artístico, musical [e] 1. partitura, 2. escenario, 3. zapateo, 4. compositor, 5. teclas, 6. micrófono, 7. violín, 8. solista, 9. festival, 10. coro. [f] pandereta, órgano, arpa, trompeta, acordeón, castañuelas.

Capítulo 8:

[b] a a. 6, b. 5, c. 4, d. 2, e. 3, f. 1. b conductor, dueño, torcer, rueda, bocina, pararse. [c] frenar, poner, desabrochar, arreglar, lleno, lentitud, parar. [d] dividir, anunciar. [f] 1. V, 2. V, 3. F, 4. V, 5. F, 6. F, 7. V.

Capítulo 9:

[b] 1. e, 2. f, 3. g, 4. a, 5. h, 6. d, 7. c, 8. b. [c] 1. reparte, 2. cultivan, 3. contrata, 4. atender, 5. dirige. [e] 1. payaso, 2. sueldo, 3. audiencia, 4. informes, 5. presupuesto, 6. contabilidad, 7. entrevista, 8. público, 9. candidato. [f] fontanero, locutor, albañil, guardaespaldas, astronauta.

Capítulo 10:

[a] b. billete, pensión. [b] 1. en, 2. de, 3. con, 4. a, 5. para. [c] 1. i, 2. h, 3. e, 4. g, 5. j, 6. a, 7. c, 8. d, 9. b, 10. f. [e] 1. d, 2. c, 3. g, 4. f, 5. a, 6. b, 7. e [f] desarrollar.

Capítulo 11:

[b] 1. quiosco, 2. estanco, 3. farmacia, 4. droguería, 5. pastelería, 6. joyería. [c] 1. h, 2. g, 3. e, 4. j, 5. i, 6. a, 7. c, 8. f, 9. d, 10. b. [d] a viejo, suelo, aislado, típico. b 1. concurrida, 2. gratuito, 3. célebre, 4. industrial, 5. autonómicos. [e] calzada, escaparate, semáforo, farola, estanco, banco.

Capítulo 12:

[b] a 1. ciclista, 2. futbolista, 3. montañero, 4. boxeador, 5. tenista, 6. esquiador, 7. nadador. b 1. ganador, 2. perdedor. [c] redactar, dibujar. [e] 1. animar, 2. atleta, 3. trofeo, 4. prueba, 5. aficionado, 6. campeonato, 7. bandera, 8. capacidad, 9. trampa, 10. marcador. [f] 1. V, 2. F, 3. F, 4. V, 5. F.

Capítulo 13:

[b] 1. reptan, 2. vuela, 3. atacó, 4. picaron, 5. nada. [c] 1. e, 2. g, 3. f, 4. c, 5. a, 6. d, 7. b, 8. h. [d] 1. h, 2. c, 3. g, 4. e, 5. d, 6. b, 7. a, 8. f. [e] a a. vaca, leona, tigresa. b. carnero, caballo, gallo. [f] elefante, loro, rana, ballena, camello, cocodrilo. [g] 1. c, 2. d, 3. a, 4. e, 5. f, 6. b.

Capítulo 14:

b clínica, constipado, cansancio, píldora, fractura, descanso, tranquilizante.
c 1. escayola, 2. transplante, 3. apetito, 4. vacuna, 5. tratamiento, 6. insomnio, 7. pomada, 8. huesos, 9. medicinas, 10. anestesia. **d** marcharse, tachar.
f paciente, heridas, camilla, mareos, náuseas, termómetro, fiebre, venda, herida, jarabe, vacuna. **g** 1. pediatra, 2. cardiólogo, 3. traumatólogo, 4. dentista, 5. otorrino.

Capítulo 15:

b 1. flotan, 2. se hundió, 3. se sumergen, 4. bucear, 5. se ahoga. **c** 1. j, 2. f, 3. e, 4. g, 5. h, 6. b, 7. i, 8. d, 9. a, 10. c. **d** alta mar, vestido, superficial, húmedo, tranquilo, blanco. **f** puerto, flotador, estrella, trampolín, bañista.

Capítulo 16:

b cortometraje, largometraje, comedia, policiaca, infantil, del oeste, de ciencia-ficción, de terror, de suspense. **c** 1. capítulo, 2. película, 3. argumento, 4. televisión, 5. anuncios. **d** 1. en directo, en diferido; 2. doblada, subtítulos; 3. blanco y negro; 4. adultos; 5. escenas; 6. interferencias; 7. adaptación; 8 borrosa; 9. de madrugada; 10. ídolos. **e** **a** ingerir. **b** 1. presentación, 2. anuncio, 3. emisión, 4. doblaje, 5. duración, 6. tratamiento, 7. dirección.
f 1. F, 2. V, 3. F, 4. V, 5. V.

Capítulo 17:

b 1. cambiar, 2. pedir prestado, 3. ingreso, 4. ahorrar, 5. invertir. **c** 1. h, 2.e, 3. j, 4. a, 5. i, 6. b, 7. f, 8. c, 9. d, 10. g. **d** pobreza, derrochar, conceder, ganancia, verdadero. **e** hipoteca, transferencia, préstamo, ingreso, domiciliación, cancelación. **f** capital, impreso, ventanilla, cajero, billete, firma.

Capítulo 18:

b 1. adorna, 2. envuelvo, 3. enviamos, 4. disfrazarme, 5. celebra. **d** 1. villancicos, 2. aniversario, 3. careta, 4. cabalgata, 5. disfraz, 6. nacimiento, 7. procesiones, 8. feria, tómbola, 9. corridas. **e** 1. b, 2. c, 3. a, 4. e, 5. d. **f** Año nuevo, Carnavales, Fallas, Feria de abril, Sanfermines, Todos los Santos.

Capítulo 19:

b medir. **c** 1. f, 2. g, 3. i, 4. e, 5. h, 6. a, 7. c, 8. b, 9. d. **d** declaración, detención, defensa, acusación, secuestro, encarcelar, testificar, condenar, perseguir, agredir. **f** 1. F, 2. V, 3. F, 4. V, 5. V. **g** **b** 1. está caducado, 2. tiene libertad bajo fianza, 3. presentar una denuncia, 4. prestar declaración.

Capítulo 20:

b 1. h, 2. i, 3. e, 4. j, 5. g, 6. a, 7. c, 8. d, 9. b, 10. f. **c** 1. e, 2. f, 3. d, 4. b, 5. c, 6. a. **d** 1. d, 2. g, 3. a, 4. f, 5. c, 6. h, 7. b, 8. e. **e** 1. suspenso, aprobado, notable, sobresaliente, suspenso, sobresaliente. **f** 1. explica, 2. matriculo, 3. asistir, 4. aprender, 5. admitan. **g** compañero, licenciatura, biología, gramática, laboratorio.